Leximath

LEXIQUE MATHÉMATIQUE DE BASE

DEUXIÈME ÉDITION

Ronald Côté
Madeleine Gagnon
Nicole Perreault
Xavier Roegiers

Adaptation et mise à jour
Jacqueline Laflamme

D1283361

Beauchemin

CHENELIÈRE ÉDUCATION

Leximath
Lexique mathématique de base
2ᵉ édition

© 2002   Groupe Beauchemin, éditeur ltée
7001, boul. St-Laurent
Montréal (Québec
Canada H2S 3E3
Tél.:(514) 273-1066
Téléc.:(514) 276-0324
info@cheneliere.ca

Lexique mathématique de base
©   1988   De Boeck·Wesmael s.a.
203 av. Louise · 1050 Bruxelles

Supervision éditoriale: Pierre Fournier
Supervision de la production: Michel Perron
Chargée de projet et révision: Sophie Lamontre
Conception graphique et réalisation de la couverture: Mardigrafe
Maquette intérieure et mise en page : Studio Douville
Illustrations: Yvon Roy
Impression: Imprimeries Transcontinental inc.

Remerciements
Nous tenons à remercier les consultantes et les consultants des provinces du Canada qui nous ont suggéré les termes mathématiques qu'ils souhaitaient voir apparaître dans cette nouvelle édition. Nous remercions également les élèves de la classe de Nicole Martel (5ᵉ année) de l'école Les Jeunes Découvreurs pour leur participation à l'aspect visuel de la maquette intérieure.

Le photocopillage entraîne une baisse des achats de livres à tel point que la possibilité pour les auteurs de créer des œuvres nouvelles et de les faire éditer par des professionnels est menacée.

Nous reconnaissons l'aide financière du gouvernement du Canada par l'entremise du Programme d'aide au développement de l'industrie de l'édition (PADIÉ) pour nos activités d'édition.

Gouvernement du Québec – Programme de crédit d'impôt pour l'édition de livres – Géré par la Société de développement des entreprises culturelles (SODEC).

ISBN: 2-7616-1263-9
Dépôt légal 1ᵉʳ trimestre 2002
Bibliothèque nationale du Québec
Bibliothèque et Archives Canada
Imprimé au Canada

7 8 9 10 ITG 12 11 10 09

Comment utiliser Leximath

La 2e édition de *Leximath* est conforme à la terminologie du nouveau programme du Québec au primaire en mathématique et à celle de la plupart des programmes canadiens. Il comprend également les termes mathématiques utilisés au début du secondaire.

Conçu comme un dictionnaire, *Leximath* reprend les principales notions au programme en leur associant l'essentiel des démarches qui permettent de les acquérir.

Se voulant avant tout pratique et accessible, il tente davantage d'expliquer et d'illustrer les notions mathématiques que d'en donner une définition théorique et complète.

Comment trouver un mot

1. Les notions sont présentées en ordre alphabétique. Un **index alphabétique**, situé à la fin du lexique, permet de repérer rapidement la ou les pages où le mot est défini. Dans cet index, la **référence en gras** indique la page où le terme est défini. Les autres chiffres renvoient aux pages où on retrouve les principales applications de cette notion.

EXEMPLE :

> quadrilatère 26, 98, 100, 121, 129, **142**, 146, 174

page où la notion est définie

2. L'explication d'un terme se fait parfois en référence à un autre terme.

EXEMPLE :

> **orienté** adj. → *droite*

signifie que le mot « orienté » sera expliqué à la rubrique « droite ».

3. Un terme en **gras** dans le texte à un endroit donné signifie que ce terme est principalement expliqué à cet endroit-là.

EXEMPLE:

longueur n.f.

La **longueur** est la grandeur d'une ligne, d'un segment.

Développement principal de la notion de «longueur».

4. Un terme en *italique* dans le texte invite à rechercher ce terme dans le lexique pour un complément d'information.

EXEMPLE:

Dans notre *système de numération*, il y a dix chiffres.

Invite à un renvoi à l'expression «système de numération» pour un complément d'information.

5. Un mot suivi d'un astérisque (*) signale une **notion** qui s'adresse plus particulièrement aux élèves du **secondaire**.

EXEMPLE:

binaire*

abréviations n. f. pl. → *symboles*

abscisse* n. f. → *diagramme à ligne brisée* et *coordonnées cartésiennes*

absolu, ue* adj. → *valeur absolue*

absorbant, te* adj.

Zéro est **absorbant** dans une multiplication parce que, quand il est *facteur* d'un *produit*, ce produit vaut toujours zéro.

EXEMPLES :

$0 \times 7 = 0$

$25 \times 4 \times 0 = 0$

Voir aussi *élément absorbant*.

accolade* n. f.

Les **accolades** sont les symboles servant à grouper des objets, des *opérations*. C'est également un symbole qui signifie «ensemble».
Le symbole des accolades est { }.

EXEMPLES :

$\{0, 2, 4, 6, 8\}$

$\{x \in \mathbb{N} \mid x > 7\}$

$\{5 - (2 + 3) \times 4\}$

acutangle* adj.

Un triangle **acutangle** est un triangle qui a 3 angles aigus.

Voir aussi *triangle*.

addition n. f.

L'**addition** est une des quatre *opérations* de base en arithmétique. Elle consiste à ajouter un nombre à un autre.

symbole de l'addition (se lit «plus»)

symbole d'égalité (se lit «égale»)

$$2 \ + \ 7 \ = \ 9$$

terme terme somme

Voir aussi *table d'addition*.

adjacent, te* adj.

Adjacent signifie «voisin», «qui se touche». Deux **côtés adjacents** ont une extrémité commune. Deux **angles adjacents** ont en commun le sommet et un côté, et sont situés de part et d'autre de ce côté. Deux **faces adjacentes** d'un *polyèdre* ont une arête commune.

Côtés adjacents   Angles adjacents

aigu, uë adj. → *angle*

aire n. f.

L'**aire** d'une *surface*, c'est la mesure de cette surface. Parfois, on parle aussi de **superficie**: la superficie d'un terrain, d'une ville, etc.

On peut:

1. Comparer l'aire de deux surfaces.

aire de **B** > aire de **A**

2. Mesurer l'aire d'une surface soit en la recouvrant à l'aide de feuilles, de fiches, etc., soit en utilisant un quadrillage.

Il a fallu 18 feuilles pour recouvrir la table.

L'aire de la tache est comprise entre 8 et 15 carrés.

3. Mesurer l'aire d'une surface à l'aide d'unités conventionnelles.

Le **centimètre carré** (cm²)

1 cm

1 cm

L'aire d'un carré de 1 cm de côté, c'est environ l'aire de l'ongle de ton pouce.

Le **décimètre carré** (dm²): l'aire d'un carré de 1 dm de côté (10 cm), ou encore environ l'aire d'un billet de 5 $.

10 cm

10 cm

100 cm²

10 cm²

1 dm² = 10 rangées de 10 cm² = 100 cm²

Le **mètre carré** (m²): l'aire d'un carré de 1 m de côté, ou encore la moitié de l'aire d'une porte standard.

L'**hectare** (ha): l'étendue d'un terrain carré de 100 m de côté.
1 ha = 10 000 m². L'aire d'un très grand terrain de football approche un hectare.

Le **kilomètre carré** (km²): l'étendue d'un terrain carré de 1 km de côté.

Chacune de ces unités d'aire est 100 fois plus grande que la précédente (dix fois en longueur et dix fois en largeur).

4. Calculer l'aire de *polygones* et de *solides* à l'aide des formules suivantes:

Polygones

Carré

$A = c^2$

c

Losange

$A = \dfrac{d \times D}{2}$

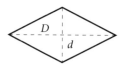

D

d

Parallélogramme

$A = b \times h$

h

b

Polygone régulier

$A = \dfrac{a \times P}{2}$

a

$P = 6c$

Rectangle

$A = b \times h$

h

b

Trapèze

$A = \dfrac{(b + B) \times h}{2}$

b

h

B

Triangle

$A = \dfrac{b \times h}{2}$

h

b

Solides

Cube

$A = 6c^2$

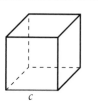

c

Prisme droit

$A = 2 \times (a \times b + a \times c + b \times c)$

b

a

c

Cylindre droit

$A = 2\pi r^2 + 2\pi rh$

h

r

Pyramide régulière

$A = A_b + \dfrac{n \times c \times a}{2}$

$n = 4$

$A = A_b + \dfrac{P_b \times a}{2}$

a

c

Cône droit

$A = \pi r^2 + \pi rL$

L

r

Sphère

$A = 4\pi r^2$

r

EXEMPLE:

Aire du rectangle = $b \times h$

$h = 3$ cm

$b = 6$ cm

Dans ce cas-ci, l'aire du rectangle est de 6 cm $\times$ 3 cm = 18 cm².

A: aire	h: hauteur
a: apothème	L: longueur de la génératrice
B: grande base	n: nombre de côtés
b: base	P: périmètre
c: côté	P_b: périmètre de la base
D: grande diagonale	r: rayon
d: petite diagonale	

aire latérale

Somme des aires des faces latérales d'un objet à trois dimensions autre que la boule.

aire totale de la surface

Somme des aires de toutes les faces d'un objet à trois dimensions, y compris les bases.

aléatoire adj. → *probabilité*

algorithme n. m.

Un **algorithme** est un ensemble de *règles* ou d'actions ordonnées qui sont nécessaires à la résolution d'un calcul, d'une *opération* ou d'un problème quelconque.

analogie n. f.

Une **analogie** est un rapport de ressemblance établi par l'imagination entre deux ou plusieurs objets.

EXEMPLE:

Il existe une analogie entre un tableau de classe et un tableau statistique.

analogique adj.

Le mot **analogique** fait référence à la variation continue d'une certaine grandeur (par opposition à numérique).

EXEMPLE :
Une montre analogique comparativement à une montre numérique.

Voir aussi *horloge analogique* et *horloge numérique*.

angle n. m.

Un **angle** est la figure formée par deux *demi-droites* de même origine. Cette origine O est appelée *sommet* de l'angle.

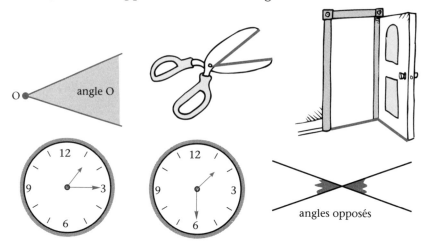

Un angle de sommet O se note ∠ O.
On mesure un angle en *degrés*, à l'aide d'un rapporteur d'angle.

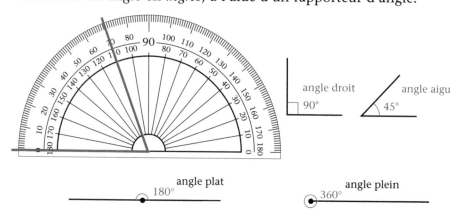

Angles alternes-externes
Angles formés par des parallèles et une sécante. Ils sont externes et ils sont situés de part et d'autre de la sécante.

EXEMPLE :

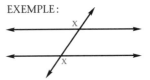

Angles alternes-internes
Angles formés par des parallèles et une sécante. Ils sont internes et sont situés de part et d'autre de la sécante.

EXEMPLE :

Un **angle aigu** est un angle moins ouvert qu'un angle droit. Sa mesure est comprise entre 0° et 90°.

L'**angle droit** est un angle qui mesure 90°. Deux demi-droites ou deux segments perpendiculaires issus du même sommet forment un angle droit.

Angle nul
Angle qui mesure 0°.

EXEMPLE :

L'angle BAC est un angle nul.

Un **angle obtus** est un angle plus ouvert qu'un angle droit mais moins ouvert qu'un angle plat. Sa mesure est comprise entre 90° et 180°.

Un **angle plat** est un angle qui mesure 180°. Deux demi-droites placées bout à bout de façon à former une ligne droite forment un angle plat.

Un **angle plein** est un angle dont la mesure est égale à 360°.

Un **angle rentrant** est un angle plus ouvert qu'un angle plat mais moins ouvert qu'un angle plein. La mesure d'un angle rentrant est comprise entre 180° et 360°.

La somme des angles intérieurs d'un triangle est égale à 180°.

La somme des angles intérieurs d'un quadrilatère est égale à 360°.

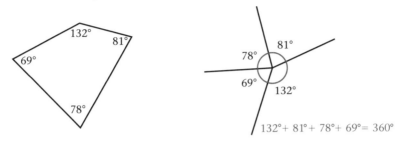

$$132° + 81° + 78° + 69° = 360°$$

Voir aussi *adjacent, complémentaire, supplémentaire, perpendiculaire, degré.*

apex n. m.

Le nom **apex** est donné à certains sommets remarquables.

apex

apex

apex

apothème* n. m.

Dans un *polygone régulier*, l'**apothème** est la distance entre le centre du polygone et le milieu d'un côté.

appartenance n. f. → *ensemble*

approximation n. f.

Une **approximation** est la valeur approchée du résultat d'une *opération.*
On utilise le symbole ≈ pour désigner une approximation.
EXEMPLE : $\pi \approx 3,14$

Voir aussi *arrondissement.*

arc n. m.

Partie d'un *cercle* comprise entre deux points de ce cercle.

On note cet arc $\overset{\frown}{AB}$.

arête n. f. → *polyèdre*

arithmétique n. f. et adj.

L'**arithmétique** est la science qui étudie les propriétés et les relations de base sur les nombres.

Voir aussi *moyenne* et *progression*.

arrondissement n. m.

L'**arrondissement** d'un nombre est le remplacement de ce nombre par une valeur approchée en suivant certaines règles.

Pour arrondir un nombre à une position donnée, il faut considérer le chiffre placé à la droite de la position à laquelle on veut arrondir. Si ce chiffre est inférieur à 5, la valeur de position à laquelle on veut arrondir ne change pas; si ce chiffre est supérieur ou égal à 5, cette valeur de position augmente de 1.

Dans un cas comme dans l'autre, on doit remplacer par des zéros tous les chiffres qui suivent la valeur de position arrondie.

EXEMPLE: 3245 arrondi à la centaine près devient 3200.

Voir aussi *approximation*.

associativité n. f.

Une opération est **associative** si l'on peut regrouper de façons différentes les termes sans modifier le résultat de l'opération.

L'addition et la multiplication sont associatives.
Ainsi, on aura toujours:
$$200 + 50 + 9 \;=\; (200 + 50) + 9 = 250 + 9 = 259$$
$$=\; 200 + (50 + 9) = 200 + 59 = 259$$
$$8 \times 10 \times 2 \;=\; (8 \times 10) \times 2 = 80 \times 2 = 160$$
$$=\; 8 \times (10 \times 2) = 8 \times 20 = 160$$

La soustraction et la division ne sont **pas** associatives.
Par exemple, on a:
$$(20 - 15) - 3 = 5 - 3 = 2 \neq 20 - (15 - 3) = 20 - 12 = 8$$
$$(80 \div 10) \div 2 = 8 \div 2 = 4 \neq 80 \div (10 \div 2) = 80 \div 5 = 16$$

au moins

Un minimum de...

EXEMPLE:

Il a au moins 7 biscuits signifie qu'il ne peut en avoir moins que 7, 7 étant le minimum qu'il peut avoir. Par contre, il pourrait en avoir plus que 7. Nous avons donc: $n \geq 7$.

au plus

Un maximum de...

EXEMPLE:

Il a au plus 9 cartes signifie qu'il ne peut en avoir plus de 9, 9 étant le maximum de cartes qu'il peut avoir. Par contre, il pourrait en avoir moins que 9. Nous avons donc: $n \leq 9$.

axe de réflexion n. m.

Un **axe de réflexion** est une *droite* servant à définir une *réflexion*.

Voir aussi *symétrie*.

axe des abscisses → *diagramme à ligne brisée*

axe des coordonnées → *diagramme à ligne brisée*

axe des nombres

Un **axe des nombres** est une *droite* graduée et orientée.

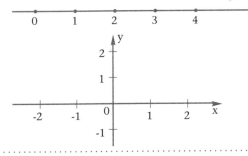

Axe des nombres

Axes d'un plan cartésien

axe des ordonnées → *diagramme à ligne brisée*

axe de symétrie → *symétrie*

. . . .

axiome* n. m.

Un **axiome** est un énoncé que l'on suppose vrai au départ, et que l'on ne démontre donc pas.

EXEMPLE : « Tout nombre naturel est suivi d'un autre. »

. . . .

base (géométrique) n. f.

> 1. Dans les polygones

Chaque côté d'un *triangle* peut être la **base de ce triangle**. Le choix dépend du côté sur lequel on abaisse perpendiculairement la *hauteur*.

Ce côté, nommé base, et cette *hauteur* sont utilisés alors pour le calcul de l'aire du triangle.

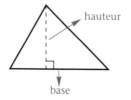

Comme pour le triangle, le côté du *parallélogramme* sur lequel on abaisse la hauteur sera la **base de ce parallélogramme**.

Dans le *rectangle*, tout côté peut être la **base du rectangle**. L'un des deux côtés perpendiculaires à cette base sera alors considéré comme la hauteur du rectangle.

Pour le *trapèze*, les deux côtés parallèles sont les **bases du trapèze**. Le petit côté parallèle est la **petite base**, le plus long est la **grande base** du trapèze.

Par extension, l'expression «base d'un *polygone*» désigne souvent la longueur du plus long côté du polygone.

---

2. Dans les solides

En général, la face sur laquelle repose le *solide* est appelée **base du solide**. Si la face opposée à celle-ci est *congruente*, elle peut également être considérée comme la base du solide.

Parfois, lorsque la hauteur du solide est *perpendiculaire* à une autre face, cette face sera la base du solide.

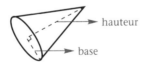

Dans les solides, on ne peut parler de base que pour les *prismes*, les *pyramides*, les *cylindres* et les *cônes*.

....

base (puissance d'une) n. f.

La **base** est le nombre qui est accompagné d'un *exposant*. Dans l'expression $2^4 = 16$ (se lit «2 exposant 4 égale 16»), 2 est la base, 4 est l'exposant affecté à cette base et 16 est la 4e *puissance* de 2.

base de numération

Notre *système de numération* est dit de **base** dix, ou décimal, parce que, pour écrire les nombres, on effectue des groupements par dix.

EXEMPLES :

10 signifie « 1 groupement de dix et 0 unité ».

35 signifie « 3 groupements de dix et 5 unités ».

127 signifie « 1 groupement de dix au carré, 2 groupements de dix et 7 unités » :

$$127 = (1 \times 10^2) + (2 \times 10) + 7$$

ou $$127 = (1 \times 10^2) + (2 \times 10) + (7 \times 10^0)$$

C'est probablement parce que l'être humain a dix doigts qu'il a imaginé la base dix.

On peut représenter les nombres dans une base autre que dix, par exemple la base trois.

En base trois, seuls trois chiffres sont utilisés : 0, 1 et 2 parce que, dès qu'on a trois unités, on forme un groupement.

Comment écrire 17 (dix-sept) en base trois ? En effectuant des groupements de trois autant de fois que cela est possible.

On commence par regrouper les unités trois par trois, ce qui donne 5 groupements de trois (5 bases). Il reste 2 unités.

On regroupe trois des 5 bases en 1 base au carré. Il reste 2 bases.

On a finalement : 1 base au carré (1×3^2);

2 bases (2×3^1);

2 unités (2×3^0);

$17_{(dix)} = 122_{(trois)}$ (dix-sept en base dix est égal à « un deux deux » en base trois).

On peut vérifier la transformation :

$122_{(trois)}$ = 1 carré + 2 bases + 2 unités

= $(1 \times 3^2) + (2 \times 3) + 2$

= 17

Pour écrire dans une autre base des nombres plus grands, il est plus rapide de procéder par calcul. On effectue des divisions successives par la base en comptabilisant les différents restes.

EXEMPLE :

Soit le nombre 61 $_{(dix)}$ à écrire en base trois :

61	unités divisées par trois	→	20	bases	reste	1 unité
20	bases divisées par trois	→	6	carrés	reste	2 bases
6	carrés divisés par trois	→	2	cubes	reste	0 carré
2	cubes divisés par trois	→			reste	2 cubes

Il suffit alors de lire de bas en haut le nombre donné :

61 $_{(dix)}$ = 2021 $_{(trois)}$

La base dix n'est pas la seule base utilisée aujourd'hui. Dans certains domaines, on se sert d'autres bases :

- en informatique, la base deux surtout (système binaire), mais aussi la base huit et la base seize ;
- dans la mesure du temps, la base soixante, dont l'origine remonte aux Babyloniens : 1 h = 60 min ; 1 min = 60 s ;
- la base cinq est encore utilisée dans certains pays d'Asie.

Voir aussi *système de numération*.

....

bénéfice n. m.

Le **bénéfice** est la différence entre le prix de vente et le prix de revient d'une marchandise. La plupart du temps, on l'exprime comme un *pourcentage* du prix de revient.

EXEMPLES :

Prix de vente	1 200 $
Prix de revient	Bénéfice
1000 $	200 $

Bénéfice de 20 %

Prix de vente	800 $
Prix de revient	Bénéfice
400 $	400 $

Bénéfice de 100 %

N.B. Lorsque les frais sont de moindre importance, on exprime le bénéfice comme un pourcentage du prix d'achat.

Le terme bénéfice est synonyme de **gain**.

Lorsque le prix de vente est inférieur au prix de revient, la différence est appelée **perte**.

b

billiard n. m.

Nombre naturel à quinze zéros (10^{15}).
Un billiard égale 1 000 000 000 000 000.

billion n. m.

Nombre naturel à douze zéros (10^{12}).
Un billion égale 1 000 000 000 000.

binaire* adj.

Le système **binaire** est un *système de numération* en base deux. Deux symboles sont utilisés : 1 et 0

Base dix	Base deux
1	1
2	10
3	11
4	100
5	101
6	110
7	111
8	1000
...	...

$1_{(dix)} = 1_{(deux)}$ (se lit « un en base dix est égal à un en base deux »)

$2_{(dix)} = 10_{(deux)} \rightarrow$ 1 groupement de deux et 0 unité

$3_{(dix)} = 11_{(deux)} \rightarrow$ 1 groupement de deux et 1 unité

$4_{(dix)} = 100_{(deux)} \rightarrow$ 1 groupement de deux au carré (1 carré de deux)

$5_{(dix)} = 101_{(deux)} \rightarrow$ 1 carré de deux et 1 unité

$6_{(dix)} = 110_{(deux)} \rightarrow$ 1 carré de deux et 1 groupement de deux

etc.

Voir aussi *base de numération* et *arbre*.

bissectrice* n. f.

Une **bissectrice** est une *droite* qui coupe un angle en deux angles *congrus*. C'est l'*axe de symétrie* de cet angle.

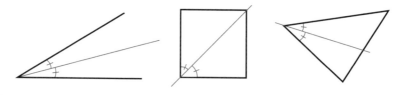

bord n. m. → *frontière*

boucle n. f.

1. Une **boucle** est une *branche* d'un *réseau* dont les deux extrémités sont reliées au même *nœud*. Cette branche peut se parcourir dans les deux sens.

2. Une **boucle** représente aussi un couple identique dans un *diagramme sagittal*.

boule n. f.

La **boule** est un *solide* délimité par la *sphère*. Elle est un *corps rond*.

EXEMPLE :
Si nous utilisons l'orange comme analogie, nous dirons que l'orange est une boule. La pelure de l'orange serait alors la représentation de la sphère.

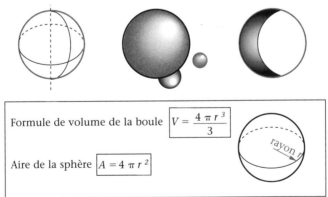

Formule de volume de la boule $V = \dfrac{4 \pi r^3}{3}$

Aire de la sphère $A = 4 \pi r^2$

branche n. f.

Dans un *réseau*, une **branche** est un segment reliant deux *nœuds*.

brisé, ée adj. → *ligne*

calcul n. m.

Effectuer une opération arithmétique de façon à obtenir la réponse exacte.

calcul écrit

Effectuer par écrit une opération arithmétique.

calcul mental

Effectuer une opération arithmétique en réfléchissant, et sans écrire, de façon à obtenir la réponse exacte.

capacité n. f.

La **capacité** d'un récipient représente la quantité qu'il pourrait contenir, que ce soit de l'eau, de l'huile, du sel, du sable, etc. C'est donc le volume du récipient.

EXEMPLE :

La capacité de ce seau est de 10 litres, ce qui signifie qu'on pourrait mettre jusqu'à 10 litres d'eau dans le seau.

On peut :

1. Comparer la capacité de deux récipients.

La capacité du verre est inférieure à la capacité du bol, parce qu'il peut contenir moins de liquide que le bol (bien qu'il soit plus haut).

2. Mesurer la capacité d'un récipient en le remplissant un certain nombre de fois avec un récipient donné (étalon).

La capacité de la cafetière est de 8 tasses.

3. Mesurer la capacité d'un récipient
   à l'aide d'unités conventionnelles.

Le **litre** (l ou L)

Un litre est
équivalent
à 1 dm³.

Le **décilitre**
(dl ou dL) $1\,dl = \dfrac{1}{10}\,l$;

c'est la capacité
d'une petite tasse.

Le **centilitre**
(cl ou cL) $1\,cl = \dfrac{1}{100}\,l$; c'est la capacité
d'une cuillère
à soupe.

Le **millilitre**
(ml ou mL) $1\,ml = \dfrac{1}{1000}\,l$; c'est la capacité
de la moitié d'un
dé à coudre.

L'**hectolitre** (hl ou hL) $1\,hl = 100\,l$.

4. Utiliser des récipients gradués pour déterminer avec
   précision la capacité d'un récipient ou la valeur
   d'une quantité de liquide.

....

capital n. m. → *intérêt*

....

caractères de divisibilité n. m. pl.

Dans certains cas, il est facile de voir si un nombre est *divisible* par
un autre.
Par exemple, on peut dire rapidement que 19 736 est divisible par 4, car :
19 736 =   19 700   +   36

          multiple de 100,   nombre
          toujours divisible par 4   divisible par 4

1. Un nombre est divisible par 2 si son dernier chiffre est pair.
   EXEMPLE:
   318 se divise par 2 car 8 est pair.

2. Un nombre est divisible par 3 si la somme de ses chiffres est divisible par 3.
   EXEMPLE:
   126 est divisible par 3, car 1 +2 + 6 = 9 et 9 est divisible par 3.

3. Un nombre est divisible par 5 si le dernier chiffre de ce nombre est 0 ou 5.
   EXEMPLE:
   1045 est divisible par 5 et 400 est divisible par 5.

4. Un nombre est divisible par 6 s'il est divisible par 2 et par 3.
   EXEMPLE:
   126 est divisible par 6, car 126 est divisible par 2 (dernier chiffre pair) et est divisible par 3 (car la somme de ses chiffres est 9).

5. Un nombre est divisible par 8 si le nombre formé par ses trois derniers chiffres est divisible par 8.
   EXEMPLE:
   5328 est divisible par 8, car 328 est divisible par 8.

6. Un nombre est divisible par 9 si la somme de ses chiffres est divisible par 9.
   EXEMPLE:
   378 est divisible par 9, car 3 + 7 + 8 = 18 et 18 est divisible par 9.

7. Un nombre est divisible par 10 si son dernier chiffre est 0.
   EXEMPLE:
   250, 50, 100, 340 sont des nombres divisibles par 10.

8. Un nombre est divisible par 11 si la différence entre la somme des chiffres en position impaire et la somme des chiffres en posi-tion paire est divisible par 11.

EXEMPLE:

28   (somme des chiffres de rang impair)

6   (somme des chiffres de rang pair)

28 − 6 = 22

22 est un multiple de 11, dès lors 5 362 918 est divisible par 11.

cardinal n. m.

Le **cardinal** d'un *ensemble* est le nombre d'éléments de l'ensemble.

Le cardinal de l'ensemble S des jours de la semaine est 7.

On écrit # S = 7 (le cardinal de S est 7).

Deux ensembles sont **équipotents** s'ils ont le même nombre d'éléments. Par exemple, l'ensemble S des jours de la semaine et l'ensemble N des Sept Nains sont des ensembles équipotents.

L'ensemble dont le cardinal est 0 est l'ensemble **vide**.

Un ensemble dont le cardinal est 1 est un **singleton**.

Un ensemble dont le cardinal est 2 est une **paire**.

Voir aussi *infini* et *ordinal*.

carré n. m.

1. **Carré d'un nombre** → *puissance*

2. Un **carré** est un *quadrilatère* dont les côtés sont congrus et les angles droits.

Un carré est un *polygone régulier,* car il a les côtés de même longueur et les angles de même mesure.

c

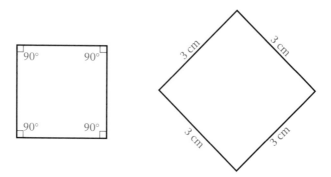

Un carré est à la fois un *rectangle* et un *losange.* Il possède donc toutes les propriétés de ces figures.

Périmètre : $P = 4 \times c$

Formule d'aire : $A = c^2$

Origine de la formule

Application de la formule

côté c

4 cm

aire = 4 cm × 4 cm
$A = 16 \text{ cm}^2$

---

carré magique

Ensemble de nombres disposés en carré de sorte que la somme des nombres de chaque ligne, de chaque colonne et de chaque diagonale soit toujours la même. Cette somme est la somme magique, ou **densité** du **carré magique.**

Dans l'exemple qui suit, la somme magique est 30.

16	2	12
6	10	14
8	18	4

carré parfait

Un **carré parfait** est un *nombre naturel* qui est le *carré* d'un *nombre entier.*

Les nombres 0, 1, 4, 9, 16, ..., sont des carrés parfaits.

Carroll → *diagramme de Carroll*

Celsius → *degré*

cent adj. numér. → *règles d'orthographe*

centaine n. f.

Une **centaine** est un groupement de cent objets. Dans le *système de numération* décimale, c'est la troisième position à gauche de la *virgule de cadrage.*

centième n. m.

$0,01 = \dfrac{1}{100}$ → *nombre décimal*

centilitre n. m.

$1 \text{ cl} = \dfrac{1}{100} \text{ l}$ → *capacité*

centimètre n. m.

$1 \text{ cm} = \dfrac{1}{100} \text{ m}$ → *longueur*

centimètre carré

1cm^2 : aire d'un carré de 1 cm de côté. → *aire*

centimètre cube

1cm³ : volume d'un cube de 1 cm d'arête. → *volume*

centre n. m. → *disque, rotation, symétrie, homothétie, cercle*

centre de gravité*

1. Le **centre de gravité** d'une figure est le point tel que tous les autres points de cette figure sont deux à deux symétriques par rapport à lui.

2. En physique, le **centre de gravité** est le point d'application de la résultante des actions de la pesanteur sur toutes les parties d'un corps.

centre de symétrie → *symétrie*

cercle n. m.

Un **cercle** est une courbe plane ayant tous ses points situés à égale distance d'un point central nommé **centre** du cercle.

Pour calculer la *circonférence* d'un cercle, on utilise la formule suivante : $C = 2\,\pi\,r$ ou $C = \pi\,d$ (où r est le *rayon* du cercle et d son *diamètre*).

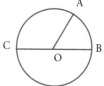

O = centre du cercle
$\overline{OA}$ = rayon du cercle
$\overline{BC}$ = diamètre du cercle

Voir aussi *Pi* (π).

chaîne n. f.

Dans un *réseau*, une **chaîne** est une séquence de *branche*s telle que chacune de ces branches possède une extrémité en commun avec la branche qui la précède et une extrémité en commun avec la branche qui la suit.

Une **chaîne** est dite **élémentaire** si elle n'inclut pas deux fois le même nœud.

Une **chaîne** est dite **simple** si elle n'utilise pas deux fois la même branche et **non simple** si au moins une de ses branches est utilisée à au moins deux reprises.

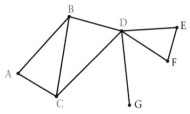

La séquence ABCD est une chaîne de longueur 3.
La séquence ABCDEFDG n'est pas une chaîne élémentaire.
La séquence ACDEFDG est une chaîne simple de longueur 6.
La séquence ABCDFEDBC est une chaîne non simple de longueur 8.

....

chances n. f.

Probabilité que quelque chose se produise. Dans une expérience *aléatoire*, nous disons qu'il y a un certain nombre de cas favorables par rapport à un certain nombre de cas possibles.

EXEMPLE :
Une urne contient 4 billes bleues et 3 billes rouges.

La probabilité de tirer une bille bleue est de $\dfrac{4 \text{ cas favorables}}{7 \text{ cas possibles}} = \dfrac{4}{7}$

On dira qu'il y a 4 chances sur 7 d'obtenir une bille bleue.

....

chemin n. m.

Dans un *réseau*, un **chemin** est une *chaîne* de *droites orientées*. La longueur d'un chemin est le nombre de branches qui le constituent.

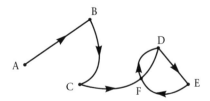

La séquence ABC est un chemin de longueur 2.
La séquence FDEF est un chemin de longueur 3. On nomme cette séquence un **circuit** parce qu'elle débute et finit au même nœud.

chiffre n. m.

Les **chiffres** sont les symboles utilisés pour écrire les nombres. Dans notre *système de numération* en base dix, il y en a dix :

0, 1, 2, 3, 4, 5, 6, 7, 8, 9.

circonférence n. f.

Mesure de la ligne qui forme le *cercle*. C'est le *périmètre* du cercle.

circonscrit, te adj.

Un *cercle* est **circonscrit** à un polygone s'il passe par tous les sommets de ce polygone.

circuit n. m. → *chemin*

classement n. m.

Action qui consiste à répartir un ensemble d'objets ou de nombres à l'intérieur de classes identifiées préalablement.

EXEMPLES :
Classe les nombres suivants en nombres pairs ou impairs :
6, 7, 9, 10, 16, 24, 25, 32, 35.

Nombres pairs : 6, 10, 16, 24, 32.

Nombres impairs : 7, 9, 25, 35.

coefficient* n. m.

Dans une expression mathématique, les **coefficients** sont les nombres qui multiplient les *variables*.

EXEMPLES :

Dans l'expression $4x + 7y$,   4 est le coefficient de x et 7 est le coefficient de y.

Dans l'expression $2ab^2$,   2 est le coefficient de ab^2.

colinéaire adj.

Si deux ou plusieurs points du *plan* ou de l'espace appartiennent à une même droite, ils sont dits **colinéaires**.

Les points C, D et E sont colinéaires.

colonne n. f.

Colonne : ligne verticale dans un tableau.

Rangée : ligne horizontale dans un tableau.

×	1	2	3	4	5	6	7	8	9	10
1	1	2	3	4	5	6	7	8	9	10
2	2	4	6	8	10	12	14	16	18	20
3	3	6	9	12	15	18	21	24	27	30
4			12							
5			15							
6			18							
7			21							
8			24							
9			27							
10	10	20	30	40	50	60	70	80	90	100

rangée

colonne

commutativité n. f.

Une opération est dite **commutative** si l'on peut changer l'ordre des termes sans modifier le résultat.

L'addition et la multiplication sont commutatives.	La soustraction et la division ne sont **pas** commutatives.
Ainsi, on aura toujours : $14 + 7 = 7 + 14$ $6 \times 9 = 9 \times 6$	Par exemple, on a : $5 - 3 \neq 3 - 5$ $12 \div 2 \neq 2 \div 12$

comparer v.

Examiner deux ou plusieurs éléments pour en dégager les ressemblances ou les différences.

EXEMPLE :

$2 < 5$ $\qquad$ $7 > 4 + 2$

$5x + 3 \leq 2x - 9$ $\qquad$ $7 + 3 = 15 - 5$

Les symboles de comparaison sont : $<$, $>$, $\leq$, $\geq$, $=$, $\neq$, $\not<$, $\not>$, $\nleq$, $\ngeq$.

On peut également comparer deux figures pour en faire ressortir les caractéristiques communes ou les cas de similitude.

compas n. m.

Un **compas** est un instrument servant à tracer des *cercles* ou à transporter des longueurs.

complémentaire adj.

1. Deux angles sont **complémentaires** si la somme de leurs mesures égale 90° (un angle droit).

   EXEMPLE :

   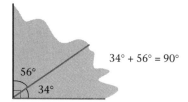

   $34° + 56° = 90°$

2. L'*ensemble* **complémentaire** d'un ensemble A dans un ensemble E, c'est l'ensemble des éléments qui appartiennent à E sans appartenir à A.

   EXEMPLE :

   L'ensemble des nombres impairs est le complémentaire de l'ensemble des nombres pairs dans l'ensemble des nombres entiers : tout nombre entier qui n'est pas pair est impair.

compréhension n. f. → *ensemble*

compter v.

Identifier les nombres et les dire en ordre croissant.

EXEMPLE :
0, 1, 2, 3...

compter à rebours

Identifier les nombres et les dire en ordre décroissant.

EXEMPLE:
100, 99, 98, 97, 96....

compter par bonds

Énoncer une suite de nombres selon une caractéristique qui est fournie ou un ordre prédéterminé.

EXEMPLE:
Compter par bonds de 2 ou compter par 2:

0, 2, 4, 6, 8, 10... (compter par 2)

5, 7, 9, 11,13... (compter par bonds de 2 en débutant à 5)

concave adj.

Non convexe. → *convexe*

concentrique adj.

Lorsque plusieurs *cercles* ont le même centre, ils sont dits **concentriques**. De même, si plusieurs *sphères* ont le même centre, elles sont dites **concentriques**.

concourant, te adj.

Si deux ou plusieurs *droites* se coupent en un seul point, elles sont dites **concourantes**.

cône n. m.

Lorsqu'on fait tourner de 360° un *triangle rectangle* autour d'un des côtés de l'angle droit, on délimite un solide. Ce solide est un **cône** droit.

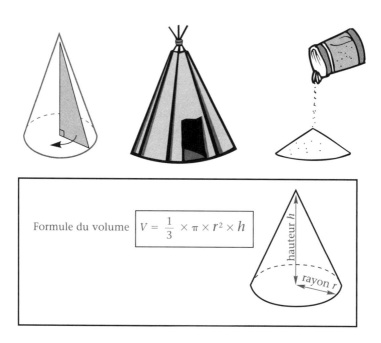

Formule du volume $\quad V = \dfrac{1}{3} \times \pi \times r^2 \times h$

hauteur h

rayon r

---

confondu, ue* adj. → *parallèle*

---

congru, ue adj.

Deux *angles* ou *deux segments de droite* sont dits **congrus** si on peut les superposer exactement l'un sur l'autre. Dans le cas des angles, la longueur des côtés n'a pas d'importance.

 a b

$\angle a \cong \angle b$ (se lit «l'angle a est congru à l'angle b»)
si et seulement si m $\angle a = $ m$\angle b$.

A   B
C   D

$\overline{AB} \cong \overline{CD}$
si et seulement si m$\overline{AB}$ = m$\overline{CD}$

congruent, te adj.

Deux figures sont **congruentes** si tous leurs côtés et tous leurs angles sont *congrus*. En déplaçant deux figures congruentes, on peut les superposer.

connexe adj.

Un *réseau* **connexe** est un réseau tel que pour toute paire de nœuds distincts, il existe une *chaîne* de branches reliant ces nœuds.

Réseau connexe

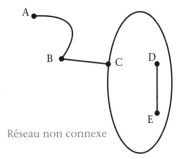

Réseau non connexe

consécutif, tive adj.

Le mot **consécutif** signifie « qui se suit ».

EXEMPLE :
Les nombres 4, 5, 6, 7, 8 sont des nombres naturels consécutifs.

constante n. f.

Une **constante**, ou invariant, est une grandeur qui ne varie pas.

EXEMPLES :

1.

Janvier

Février

Mars

Avril

Mai

Juin

Le prix du beurre a été constant pendant les cinq premiers mois de l'année.

2. Le rapport *pi* est une constante : quelle que soit la grandeur du disque, le rapport entre la longueur du cercle et le diamètre est toujours le même : $\pi = 3,14159...$

   Par contre, la longueur du cercle est *variable* : elle dépend de la grandeur du disque, c'est-à-dire du diamètre.

3. Dans l'équation $y = 5x + 2$, 2 et 5 sont des constantes, tandis que x et y sont des variables parce qu'elles peuvent prendre différentes valeurs.

   Quand une variable est égale à une autre multipliée par un nombre constant, ce nombre s'appelle **constante de proportionnalité**.

   EXEMPLES :

   $a = 4\,b$ $\qquad\qquad$ $C = 2\,\pi\,r$ $\qquad\qquad$ $y = kx$

   Voir aussi *proportionnel*.

....

contour n. m. → *frontière*

....

convexe adj.

Une figure **convexe** est une figure qui n'a pas de partie « rentrante », ni de trou.

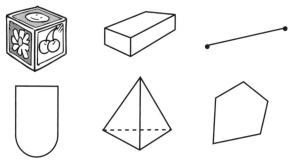

Le contraire de convexe est non convexe, ou **concave**. Dans une figure non convexe, au moins un segment reliant deux points de la figure sort de celle-ci :

coordonnées n. f. pl.

Les **coordonnées** d'un point sont les éléments qui servent à déterminer la position de ce point sur une ligne, un plan ou dans l'espace.

Dans un plan, la position d'un point est entièrement déterminée par un couple de coordonnées.

La première coordonnée d'un couple est, en général, la coordonnée horizontale.

EXEMPLE :

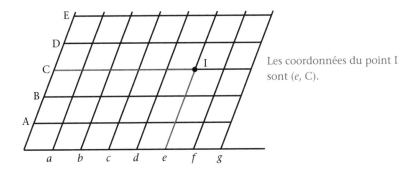

Les coordonnées du point I sont (*e*, C).

coordonnées cartésiennes

Les **coordonnées cartésiennes** d'un point sur un *diagramme à ligne brisée* sont deux nombres, l'**abscisse** et l'**ordonnée**.

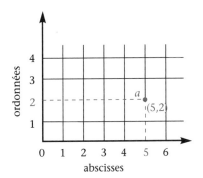

Les coordonnées du point *a* sont (5, 2). 5 est l'abscisse et 2 est l'ordonnée.

coordonnées polaires*

Dans un système de **coordonnées polaires** du plan, les coordonnées d'un objet ou d'un point A sont la **distance** d de A à l'origine et l'angle polaire.

Plan de coordonnées polaires

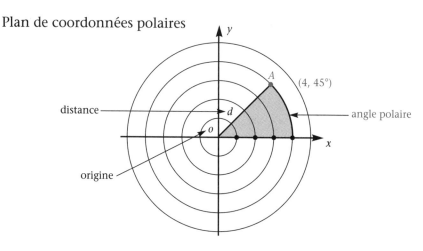

corde n. f.

Une **corde** est un *segment* de *droite* joignant deux points d'un *cercle*.

Le *diamètre* est une corde particulière qui passe par le centre du cercle.

corps rond n. m.

Un **corps rond** est un *solide* comportant au moins une surface courbe.

EXEMPLES :

• bûche de Noël (forme cylindrique);

• tipi (forme de cône);

• globe terrestre (forme de boule).

correspondant, te adj. → *homologue*

côté n. m.

1. Les **côtés** d'un *angle* sont chacune des demi-droites de même origine qui forment l'angle.

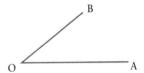

OA et OB sont les côtés de ∠AOB.

2. Les **côtés** d'un *polygone* sont chacun des segments de droite qui délimitent le polygone.

$\overline{AB}$, $\overline{BC}$, $\overline{CD}$, et $\overline{AD}$, sont les côtés de ce polygone.

couple* n. m.

Un **couple** est une suite ordonnée de deux termes.

EXEMPLES :
- le résultat d'un match de hockey (3, 0) ;
- le repérage d'une case au combat naval (b, 6) ;
- les *coordonnées* d'un point (4, 2), 4 étant l'abscisse et 2 l'ordonnée.

Ne pas confondre une *paire*, ensemble de deux éléments, et un **couple**, dans lequel les termes figurent dans un ordre bien précis.

courbe n. f.

Une **courbe** est un ensemble continu de *points* qu'on peut tracer sans lever le crayon.

couronne* n. f.

Une **couronne** est une région du plan située entre deux cercles *concentriques*. L'aire d'une couronne peut se calculer au moyen de la formule : $A = \pi (R^2 - r^2)$, où R et r sont respectivement le rayon du plus grand cercle et celui du plus petit cercle.

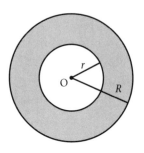

crochet* n. m.

Les **crochets** sont des symboles servant à grouper des opérations. Leur notation est [ ].

$\{ 5 + 3 [3 (2 + 5) - 4 (8 - 2)] \} =$
$\{ 5 + 3 [3 \times 7 - 4 \times 6] \} =$
$\{ 5 + 3 [21 - 24] \} =$
$\{ 5 + 3 \times {}^{-}3 \} = {}^{-}4$

croissant, te adj. → *ordre*

cube n. m.

1. Un **cube** est un *solide* régulier limité par 6 faces carrées.

Toutes ses arêtes sont de même longueur.

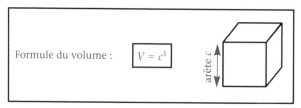

Formule du volume : $V = c^3$

arête c

Exemples de *développements* du cube :

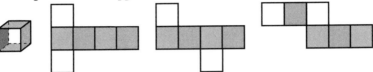

2. Cube d'un nombre → *puissance*

....

Cuisenaire adj. → *réglette Cuisenaire*

....

cylindre n. m.

Lorsqu'on fait tourner de 360° un rectangle autour d'un côté, on délimite un solide appelé **cylindre**. Sa section est à tout endroit le même *disque*.

Formule du volume

$$V = \pi \times r^2 \times h$$

rayon r

hauteur h

Application de la formule

3 cm

4 cm

Volume $= \pi \times (3 \text{ cm})^2 \times 4 \text{ cm}$
$= 3,14 \times 9 \text{ cm}^2 \times 4 \text{ cm}$
$= 113 \text{ cm}^3$

(N.B. $\pi \times r^2$ est l'aire de la base.)

Développement du cylindre :

r

h

$L = 2\pi r$

h

r

dallage n. m.

Un **dallage** est un recouvrement d'un *plan* par plusieurs *polygones* rangés de sorte qu'il n'y ait aucun espace libre ni aucune superposition entre les polygones.

décagone n. m.

Polygone à dix côtés. → *polygone*

décamètre n. m.

1 dam = 10 m → *longueur*

décilitre n. m.

1 dl = $\dfrac{1}{10}$ l → *capacité*

décimal adj. → *nombre décimal*

décimètre n. m.

1 dm = $\dfrac{1}{10}$ m → *longueur*

décimètre carré

1 dm² : aire d'un carré de 1 dm de côté. → *aire*

décimètre cube

1 dm³ : volume d'un cube de 1 dm d'arête. → *volume*

décomposition n. f.

Une **décomposition**, c'est la représentation d'un nombre sous la forme d'une somme de *termes* ou d'un produit de ses *facteurs*.

$11 + 19$	est une décomposition additive de 30.
2×15	est une décomposition en facteurs de 30.
$2 \times 3 \times 5$	est la décomposition en facteurs premiers de 30.

Voir aussi *facteur* et *facteur premier*.

décroissant, te adj. → *ordre*

degré n. m.

1. Le **degré** est une unité de mesure d'*angle* dans un système dit sexagésimal (de base 60). Le degré se divise en 60 *minutes* et la minute se divise en 60 *secondes*. Une rotation complète autour d'un point correspond à un angle de 360 degrés.

2. Le **degré** d'une *équation* est déterminé par la valeur de l'*exposant* le plus élevé.

   EXEMPLES :

   $4x^2 + x - 4 = 0$ Équation du deuxième degré parce que l'exposant le plus élevé est 2.

   $y = mx + b$ Équation du premier degré parce que l'exposant le plus élevé est 1.

3. Le **degré** d'un *réseau* est déterminé par le nombre de *nœuds* contenus dans ce réseau.

4. Le **degré** d'un *nœud* est déterminé par le nombre de *branches* issues de ce nœud.

5. Le **degré Celsius** est une unité de mesure de température utilisée dans la majorité des pays. Le symbole °C signifie «degré Celsius».

Le **degré Fahrenheit** est aussi une unité de mesure de température. Cependant, son utilisation est restreinte à quelques pays anglophones, dont les États-Unis. Le symbole °F signifie «degré Fahrenheit». Les relations existant entre ces deux unités de mesure sont exprimées par les formules suivantes:

$$°C = \frac{5}{9} \ (°F - 32)$$

$$°F = \frac{9}{5} \ °C + 32$$

demi-droite n. f.

Une **demi-droite** est une partie de *droite* limitée d'un côté par un point appelé **origine** de la demi-droite.

Demi-droite fermée AB   Demi-droite ouverte AB

demi-plan n. m.

Un **demi-plan** est une portion de *plan* qui est limitée par une *droite* tracée dans ce plan.

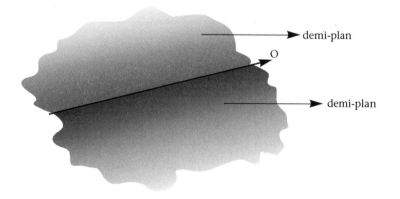

dénominateur n. m.

Terme situé au-dessous de la barre de fraction. Ainsi, 4 est le **dénominateur** de la fraction $\dfrac{3}{4}$.

Le dénominateur indique en combien de parties l'unité a été divisée.

Voir aussi *fraction*.

dénominateur commun

Un **dénominateur commun** à deux fractions est un nombre qui est un multiple des dénominateurs de chaque fraction.

Par exemple, les nombres 30, 90 ou 150 sont des dénominateurs communs aux deux fraction $\dfrac{5}{6}$ et $\dfrac{7}{15}$.

Pour effectuer des opérations sur les fractions, on doit souvent rechercher le plus petit dénominateur commun (le *PPCM* des dénominateurs).

Pour le trouver :

1. On décompose chacun des dénominateurs en *facteurs premiers*.
2. On considère comme un seul facteur un facteur commun à toutes les décompositions.
3. On calcule le produit des facteurs communs avec les facteurs restants.

EXEMPLE :
Recherche du plus petit dénominateur commun à $\dfrac{3}{140}$ et à $\dfrac{7}{120}$.

$140 = 2 \times 2 \times 5 \times 7$
$120 = 2 \times 2 \times 2 \times 3 \times 5$

plus petit dénominateur commun (PPCM) :
$2 \times 2 \times 2 \times 3 \times 5 \times 7 = 840$

Mettre des fractions au même dénominateur, c'est transformer ces fractions en fractions équivalentes de même dénominateur.

Dans l'exemple ci-dessus, $\dfrac{3}{140} = \dfrac{18}{840}$ et $\dfrac{7}{120} = \dfrac{49}{840}$.

densité n. f. → *carré magique*

description d'un ensemble → *ensemble*

développement n. m.

Développer un solide, c'est étendre sur un *plan* sa surface extérieure, ou encore le «déballer». On obtient ainsi le **développement** de la figure, aussi appelé **patron**.

On peut développer un *cube*, une *pyramide*, un *cône*, un *cylindre*, mais pas une *sphère*.

développer v.

Développer une expression, c'est la transformer en une somme (ou différence) unique de termes, souvent pour rechercher une simplification.

EXEMPLES :
$3 \times 140 = 3 \times (100 + 40) = (3 \times 100) + (3 \times 40)$
$3a\,(x^2 + 2y) = 3ax^2 + 6ay$

Dans les deux exemples ci-dessus, on a pratiqué la *distributivité*.

$(a + b)^2 = b^2 + 5 \Leftrightarrow a^2 + 2ab + \cancel{b^2} = \cancel{b^2} + 5 \Leftrightarrow a^2 + 2ab = 5$

Factoriser une expression, c'est au contraire la transformer en un produit d'un maximum de facteurs, souvent pour rechercher une simplification.

EXEMPLES :
$37 \times 15 + 23 \times 15 = (37 + 23) \times 15$ ou $15 \times (37 + 23) = 60 \times 15$
$5a^2 - 5b^2 = 5\,(a^2 - b^2) = 5\,(a + b)\,(a - b)$

Dans l'exemple ci-dessus, on a mis 5 en évidence pour pouvoir factoriser un produit.

$$\frac{16a + 24ab}{10a^2b + 15a^2b^2} = \frac{8a\,(2 + 3b)}{5a^2b\,(2 + 3b)} = \frac{8}{5ab} \quad (a, b \neq 0)$$

Ici, on a mis en évidence puis simplifié les facteurs.

Que ce soit pour développer ou factoriser, la propriété utilisée est la *distributivité*.

Voir aussi *simplifier*.

diagonale n. f.

Une **diagonale** est un *segment* de *droite* qui relie deux sommets non consécutifs dans un polygone.

Les diagonales de tout *parallélogramme* se coupent en leur milieu. De plus, les diagonales des *rectangles* sont de même longueur et celles des *losanges* sont *perpendiculaires*.

diagramme n. m.

Représentation schématique d'un ensemble de données.

diagramme à bandes

Un **diagramme à bandes** est une représentation schématique où l'on associe à chaque valeur de la *variable* une bande de forme rectangulaire dont la longueur est proportionnelle à la valeur de cette *variable*. Cette bande peut être verticale ou horizontale.

Répartition des élèves selon leur origine

diagramme à boîtes et à moustaches

Un **diagramme à boîtes et à moustaches** est une représentation schématique qui tient compte de la médiane, des quartiles, de l'étendue et des extrêmes pour donner un aperçu rapide de la distribution des données.

EXEMPLE :

diagramme à ligne brisée

Un **diagramme à ligne brisée** permet d'illustrer une relation qui lie deux grandeurs.

EXEMPLES :

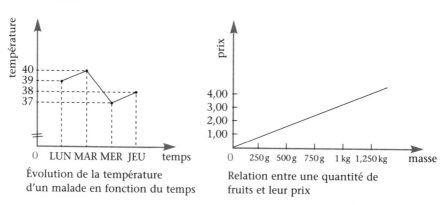

Évolution de la température
d'un malade en fonction du temps

Relation entre une quantité de
fruits et leur prix

Les deux grandeurs sont représentées sur des axes perpendiculaires gradués appelés **axes de coordonnées**.

L'axe horizontal est l'**axe des abscisses** et l'axe vertical, l'**axe des ordonnées**.

Le point d'intersection ○ des deux axes est l'**origine** des axes.

Voir aussi *coordonnées*.

diagramme à tiges et à feuilles

Un **diagramme à tiges et à feuilles** est une représentation schématique d'un ensemble de données qui en permet l'organisation rapide et efficace. Les feuilles représentent les chiffres à la position des unités. Les tiges comprennent tous les nombres autres que ceux à la position des unités.

EXEMPLE :

Résutats du test de mathématiques

Tiges (dizaines)	Feuilles (unités)					
2	2					
3	0	2	5	6	9	
4	2	3	5	7	7	8
5	6	5	9			
6	2					
7	9	9	9			
8	0					
9	1					

diagramme circulaire

Un **diagramme circulaire** est une représentation schématique de forme circulaire où l'on associe à chaque valeur de la *variable* une portion du *cercle* dont l'*angle* est proportionnel à la valeur de cette variable.

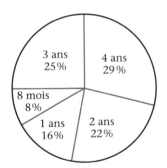

Répartition des enfants par groupes d'âge à la maternelle Le Petit Prince

diagramme de Carroll

Un **diagramme de Carroll** est une représentation schématique d'un *ensemble* dans lequel les *éléments* sont placés à l'intérieur d'une région contenue dans un rectangle représentant lui-même le *référentiel*. Ce type de diagramme met en évidence une partie de l'ensemble et son complémentaire.

	diviseurs de 14	non-diviseurs de 14
nombres premiers	2 7	3 5 11 13
nombres composés	14	4 9 6 8 10 12

$$R = \{2, 3, 4, 5, 6, 7, 8, 9, 10, 11, 12, 13, 14\}$$

diagramme de Venn

Un **diagramme de Venn** est une représentation schématique d'un ou de plusieurs *ensembles* où les éléments sont représentés par des points et les ensembles par des lignes fermées.

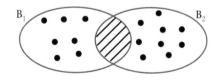

Diagramme de Venn de l'ensemble des diviseurs de 20 et de l'ensemble des diviseurs de 4.

Diagramme de Venn de deux droites parallèles (disjointes). Les hachures représentent une plage vide.

diagramme en arbre

Un **diagramme en arbre** est un schéma qui sert à dénombrer les éléments, à dresser des listes, à représenter des situations où interviennent des choix.

EXEMPLE 1 :

Pierre a des bottes rouges et des bottes noires.

Il a aussi un foulard blanc, un foulard noir et un foulard rouge.

Quelles sont toutes les possibilités d'agencement ?

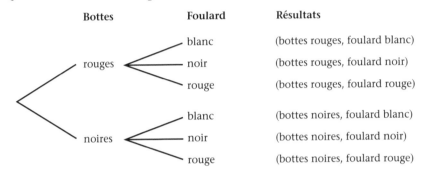

Bottes	Foulard	Résultats
rouges	blanc	(bottes rouges, foulard blanc)
	noir	(bottes rouges, foulard noir)
	rouge	(bottes rouges, foulard rouge)
noires	blanc	(bottes noires, foulard blanc)
	noir	(bottes noires, foulard noir)
	rouge	(bottes noires, foulard rouge)

EXEMPLE 2 :

Recherche des *diviseurs* d'un nombre, par exemple de 12.

On décompose 12 en *facteurs premiers* : $12 = 2^2 \times 3$, et on combine ces facteurs de toutes les façons possibles :

$2^0 = 1$ $\times$ $3^0 = 1 \rightarrow 1 \rightarrow 1 = (1 \times 1)$
$3^1 = 3 \rightarrow 3 \rightarrow 3 = (1 \times 3)$
$2^1 = 2$ $\times$ $3^0 = 1 \rightarrow 2 \rightarrow 2 = (2 \times 1)$
$3^1 = 3 \rightarrow 6 \rightarrow 6 = (2 \times 3)$
$2^2 = 4$ $\times$ $3^0 = 1 \rightarrow 4 \rightarrow 4 = (4 \times 1)$
$3^1 = 3 \rightarrow 12 \rightarrow 12 = (4 \times 3)$

Un **arbre binaire**, ou **dichotomique**, est un arbre dans lequel tous les embranchements consistent en un choix OUI/NON.

EXEMPLE :

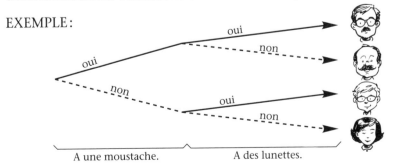

A une moustache. A des lunettes.

diagramme sagittal

Un **diagramme sagittal** est une représentation schématique d'une relation dans laquelle les *couples d'une relation* sont unis par des flèches allant de l'*ensemble* de départ vers l'*ensemble* d'arrivée.

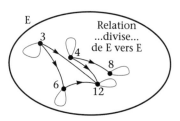

Dans une relation de E vers E, une flèche qui relie un élément à lui-même se nomme **boucle**.

diamètre n. m.

Le **diamètre** d'un cercle est le *segment de droite* joignant deux points du *cercle* et passant par le centre. La mesure du diamètre est la longueur de ce segment.

Voir aussi *corde*.

dichotomique adj. → *arbre*

différence n. f.

1. La **différence** est le résultat d'une soustraction.
   EXEMPLE :
   $20 - 14 = 6$ 6 est la différence entre 20 et 14.

2. La **différence** de l'*ensemble* A et de l'ensemble B est l'ensemble des éléments qui appartiennent à A sans appartenir à B.

   On la note A \ B (A moins B).

   EXEMPLE :

   $A = \{a, b, c, d, e\}$
   $B = \{d, e, f\}$
   $A \setminus B = \{a, b, c\}$
   $B \setminus A = \{f\}$

Voir aussi *complémentaire*.

3. La **différence** symétrique des *ensembles* A et B est l'ensemble, noté A∆B, des éléments qui sont exclusifs à A et à B.

$$A∆B = (A∪B) ∖ (A∩B)$$
$$= (A∖B) ∪ (B∖A)$$

EXEMPLE:

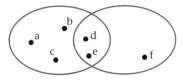

$A = \{a, b, c, d, e\}$
$B = \{d, e, f\}$
$A∆B = \{a, b, c, f\}$

dimension n. f.

Une *ligne* est une figure à une **dimension**, car elle ne possède qu'une grandeur mesurable, la longueur.

Une *surface* est une figure à deux **dimensions**, parce qu'elle possède deux grandeurs mesurables, la longueur et la largeur.

L'espace, ou un *solide*, sont dits à trois **dimensions**, parce qu'ils possèdent trois grandeurs mesurables, la longueur, la largeur et la hauteur.

EXEMPLE:

Voir aussi *grandeur*.

direction n. f.

La **direction** d'une droite A est l'ensemble de toutes les droites *parallèles* à cette droite. On la note dir A.

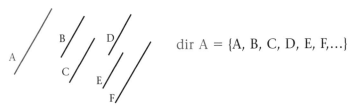

dir A = {A, B, C, D, E, F,...}

À ne pas confondre avec *sens* (voir ce mot).

d

discret, ète * adj.

Une *variable* est dite **discrète** si elle ne prend qu'un nombre fini de valeurs.

disjoint, te adj. → *ensemble* et *intersection*

disque n. m.

Le terme **disque** désigne la *surface* délimitée par le cercle, alors que le terme **cercle** désigne la *frontière* du disque.

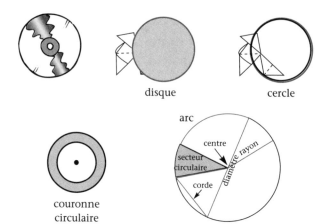

disque   cercle

couronne
circulaire

arc

centre

secteur
circulaire

rayon

diamètre

corde

Longueur du cercle : $C = 2 \times \pi \times r$ ou $C = 2\,\pi\,R$ ou $C = \pi\,d$

Aire du disque : $A = \pi \times r^2$

rayon r

Origine de la formule d'aire

r

$\pi\,r$

À la limite, c'est un parallélogramme dont la base vaut $\pi\,r$ et la hauteur r.
Son aire vaut $\pi\,r \times r = \pi\,r^2$.

Application de la formule

5 cm

aire $= 3,14 \times (5\ \text{cm})^2$
$= 78,5\ \text{cm}^2$

Voir aussi *pi*.

d

distance n. f.

La **distance** est le plus court chemin, ou l'écartement minimal entre deux éléments. On la prend perpendiculairement à une droite, à un segment ou à un plan.

Distance entre deux points   Distance entre un point et une droite   Distance entre deux droites

Voir aussi *coordonnées polaires*.

distribution n. f.

En statistique, une **distribution** est un ensemble de faits observés ou de valeurs expérimentales d'une *variable* statistique donnée.

distributivité n. f.

Lorsqu'on additionne des termes et que l'on multiplie cette somme par un nombre, on peut procéder de deux façons différentes et obtenir le même résultat.

EXEMPLE :

$(3 + 2) \times 6 =$

On effectue d'abord l'addition.

1re façon

$5 \quad \times 6 =$

30

On effectue ensuite la multiplication.

$(3 + 2) \times 6 =$

$(3 + 2) \times 6 =$

On multiplie chaque terme de l'addition par le multiplicateur.

$(3 \times 6) + (2 \times 6) =$

2e façon

$18 + 12 =$

On effectue ensuite l'addition.

30

d

1. La propriété qui permet de procéder de l'une ou l'autre façon et d'obtenir le même résultat est la **distributivité de la multiplication sur l'addition**. Puisque la multiplication est commutative, la distributivité s'applique également si on intervertit l'ordre des termes.

EXEMPLE :

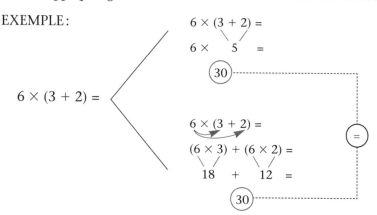

2. **La multiplication est distributive sur la soustraction.**

EXEMPLES :

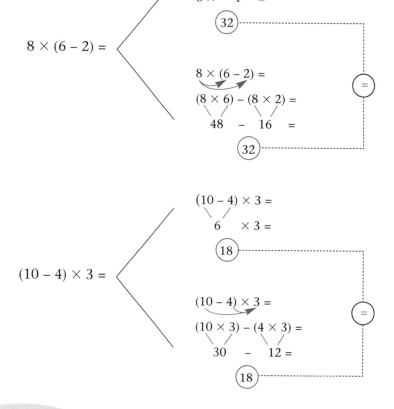

3. La division est parfois distributive sur l'addition.
   Comme la division n'est pas commutative, la propriété de distributivité ne s'applique que si la somme est au dividende.
   Il est donc préférable de tenir compte de la priorité des opérations.

   EXEMPLES :

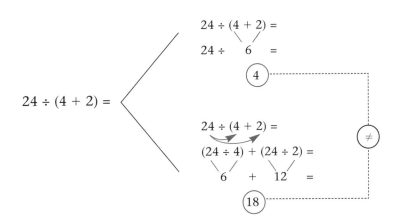

4. **La division est parfois distributive sur la soustraction.**

La propriété de distributivité s'applique uniquement dans le cas où la soustraction est au dividende.

Il est donc préférable de tenir compte de la priorité des opérations.

EXEMPLE :

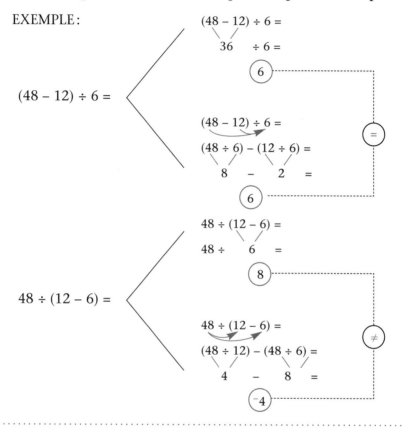

. . . .

dividende n. m.

Le **dividende** est le premier terme d'une division.

C'est le nombre que l'on divise.

$$20 \quad \div \quad 4 \quad = \quad 5$$

dividende   diviseur   quotient

. . . .

diviseur n. m.

Second terme d'une division. Ainsi, dans $44 \div 8 = 5,5$: le diviseur est 8.

diviseur commun

Un nombre qui est un *diviseur entier* d'un premier et d'un deuxième nombre est appelé **diviseur commun** à ces deux nombres.

EXEMPLE :

2 est un diviseur commun de 4 et de 6, car 2 est diviseur entier de 4 et diviseur entier de 6.

Voir aussi *PGCD*

diviseur entier (diviseur)

Un **diviseur entier** d'un nombre est un nombre entier qui est contenu un certain nombre de fois, sans reste, dans ce nombre.

Quand un nombre est un diviseur entier d'un autre nombre, on dit aussi qu'il est un **diviseur** de ce nombre.

EXEMPLE :
5 est diviseur de 15, car $15 \div 5 = 3$ reste 0.
3 est diviseur de 15, car $15 \div 3 = 5$ reste 0.
1 est diviseur de 15, car $15 \div 1 = 15$ reste 0.
15 est diviseur de 15, car $15 \div 15 = 1$ reste 0.

MAIS : 4 n'est pas diviseur de 15, car $15 \div 4 = 3$ reste 3.
　　　0 n'est pas diviseur de 15, car on ne peut jamais diviser un nombre par 0.

On dit que 15 est *divisible* par 5, par 3, par 1 et par 15.

L'ensemble des diviseurs d'un nombre *n* se note Div (*n*).

Div (15) = {1, 3, 5, 15}

div 15

• 3　　• 5

• 1　• 15

Pour la recherche des diviseurs d'un nombre, voir *diagramme en arbre*.

Voir aussi *caractères de divisibilité, nombre premier, dividende.*

divisibilité n. f. → *caractères de divisibilité*

divisible adj.

30 est **divisible** par 2, par 6, ..., mais non par 4.

Voir aussi *diviseur entier*.

division n. f.

La **division** est une des quatre *opérations* de base en arithmétique. Elle consiste à chercher combien de fois un nombre, appelé le *diviseur*, est contenu dans un autre, appelé le *dividende*.

symbole de l'opération de division (se lit « divisé par ») 35 ÷ 7 = 5 symbole d'égalité (se lit « égale »)

dividende   diviseur   quotient

dixième n. m.

$0,1 = \dfrac{1}{10}$ → *nombre décimal*

dizaine n. f.

Une **dizaine** est un regroupement de dix objets. Dans le système décimal de numération, c'est la deuxième position à gauche de la *virgule de cadrage*.

Voir aussi *système de numération*.

dodécaèdre n. m.

Polyèdre à 12 faces. → *polyèdre*

dodécagone n. m.

Polygone à 12 côtés. → *polygone*

données n. f. pl.

DONNÉES D'UN PROBLÈME

Information fournie dans l'énoncé d'un problème ou d'un scénario.

DONNÉES PERTINENTES

Données nécessaires à la résolution d'un problème.

EXEMPLE : Suzanne a acheté 240 étoiles. S'il y a 12 étoiles par paquet, combien de paquets a-t-elle achetés ?

DONNÉES SUPERFLUES

Données inutiles pour la résolution d'un problème.

EXEMPLE :

Suzanne est allée magasiner ce matin à 9 heures. Elle a acheté 240 étoiles. Celles-ci se vendaient en paquet de 12 étoiles. À 13 heures, elle les montre à ses 3 amies. Combien de paquets a-t-elle achetés ?

DONNÉES IMPLICITES

Données qui peuvent être déduites selon le contexte du problème (inférence).

EXEMPLE :

Le cœur pompe environ 8400 litres de sang par jour. Combien de litres pompe-t-il en une heure ? (Doit déduire qu'une journée contient 24 heures).

DONNÉES MANQUANTES

Données qui manquent pour permettre la résolution d'un problème.

EXEMPLE :

Suzanne a acheté 240 étoiles. Combien de paquets a-t-elle achetés ? (On ne sait pas combien il y a d'étoiles par paquet.)

DONNÉES STATISTIQUES

Résultats d'une observation ou d'une expérience servant à une étude statistique.

EXEMPLE :

À chacun des 25 élèves de la classe, on a demandé quel était le nombre d'enfants par famille.
On a recueilli les données suivantes :
2, 3, 2, 1, 1, 2, 1, 2, 3, 4, 2, 5, 7, 2, 1, 3, 1, 1, 2, 1, 3, 2, 3, 2, 1.

droit adj. → *angle, cône, cylindre, prisme*

droite n. f.

Une **droite** est une ligne formée d'une infinité de points alignés. Une droite est illimitée des deux côtés. Un fil parfaitement tendu, et qui n'aurait pas de limite, en donne une image.

On la note d ou AB

Une **droite orientée** est une droite sur laquelle on a défini un *ordre*. Elle possède un sens (en général de gauche à droite ou de bas en haut) et on y représente les nombres dans un ordre croissant.

La droite ainsi obtenue est appelée **droite numérique**.

durée n. f. → *temps*

échantillon n. m.

Un **échantillon** est un *sous-ensemble* de la *population* totale d'un phénomène étudié.

échelle n. f.

Une représentation à l'**échelle** est une représentation dans laquelle les *proportions* sont respectées, comme sur la photo de quelqu'un (sinon ce serait une caricature : nez trop grand, yeux trop rapprochés, etc.).

EXEMPLES :

Une représentation à l'échelle $\frac{1}{2}$ de ce crochet signifie que chacune des dimensions du crochet a été divisée par 2.

Une carte à l'échelle 1/20 000 signifie que 1 cm sur la carte représente en réalité 20 000 cm, c'est-à-dire 200 m.

Échelle 1/20 000 ou échelle 1 : 20 000

Voir aussi *homothétie*.

égalité n. f.

1. Une **égalité** est une expression qui utilise le symbole = et qui est soit vraie, soit fausse.

   EXEMPLES :
   - $16 = 2 \times 8$
   - $XII = 12$
   - $2\pi r = \pi d$
   - $3 \times 3 \times 3 \times 3 = 3^4 = 81$
   - $7 + 4 = 2 + 8$ égalité fausse

Voir aussi *valeur de vérité* et *proposition*.

2. Deux *ensembles* sont *égaux* s'ils comprennent les mêmes éléments.

Voir aussi *équation, simplifier*.

élément n. m.

Un **élément** est un des objets qui constituent un *ensemble*. On utilise le symbole $\in$ pour signifier l'appartenance d'un élément à un ensemble donné : $5 \in A$ (se lit « 5 est un élément de l'ensemble A »).

élément absorbant*

Un **élément** n est dit **absorbant** si, pour toute opération $*$ dans un *ensemble* E, on a $x * n = n = n * x$, et ce, quel que soit l'élément x de E.

EXEMPLES :

- 0 est absorbant pour la multiplication des nombres parce que :
$5 \times 0 = 0 = 0 \times 5$.
- $\varnothing$ (se lit «l'ensemble vide») est absorbant pour l'intersection d'ensembles parce que :
$A \cap \varnothing = \varnothing = \varnothing \cap A$.

élément neutre

Un **élément neutre** n est un élément qui ne modifie pas le résultat d'une opération, qu'il soit mis à gauche ou à droite.

On a : $n * x = x = x * n$.

EXEMPLES :

- 0 est neutre pour l'addition des nombres parce que :
$3 + 0 = 3 = 0 + 3$.
- 1 est neutre pour la multiplication des nombres parce que :
$8 \times 1 = 8 = 1 \times 8$.
- $\varnothing$ est neutre pour la réunion d'ensembles parce que :
$A \cup \varnothing = A = \varnothing \cup A$.

ennéagone* n. m.

Polygone à neuf côtés. → *polygone*

enquête n. f.

Une **enquête** est une collecte de données statistiques faite par des experts en vue d'obtenir une information précise.

ensemble n. m.

Un **ensemble** est un groupement bien précis d'éléments qui, souvent, possèdent une caractéristique commune.

Un ensemble est défini si on peut affirmer qu'un objet quelconque lui appartient ou non.

EXEMPLES :

L'ensemble A des voyelles

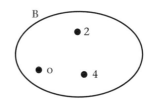

L'ensemble B des nombres pairs
inférieurs à 5

On dit d'un élément d'un ensemble qu'il **appartient** à cet ensemble par exemple, *i* appartient à A et 4 appartient à B, ce qui se note $i \in$ A et $4 \in$ B.

Un **ensemble vide** est un ensemble qui ne contient aucun élément. Pour illustrer un ensemble vide, on peut tracer un *diagramme de Venn* hachuré. Le symbole $\varnothing$ ou { } signifie «ensemble vide».

B = { } ou B = $\varnothing$

Lorsque deux ensembles n'ont aucun élément en commun (A$\cap$B = $\varnothing$), on dit qu'ils sont **disjoints**.

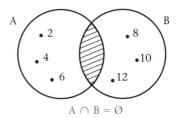

A $\cap$ B = $\varnothing$

Lorsque deux ensembles contiennent exactement les mêmes éléments (A$\cup$B = A et A$\cup$B = B), on dit qu'ils sont **égaux**.

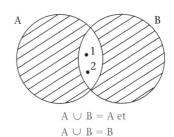

A $\cup$ B = A et
A $\cup$ B = B

Lorsque deux ensembles contiennent exactement le même nombre d'éléments, on dit qu'ils sont **équipotents**. Ces ensembles ont le même *cardinal*.

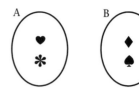

Les ensembles A et B sont équipotents.

\# A = 2 et \# B = 2

Un ensemble est décrit en **extension** si l'on nomme chacun de ses éléments: A = {a, e, i, o, u, y}; B = {0, 2, 4}.

Un ensemble est décrit en **compréhension** si l'on énonce une propriété commune à tous ses éléments: A est l'ensemble des voyelles, B est l'ensemble des nombres pairs inférieurs à 5.

Notation:

A = { $x \mid x$ est une voyelle }   (A est l'ensemble des x tels que x est une voyelle).

B = { $x \mid x \in 2N$ et $x < 5$}   (B est l'ensemble des x tels que x est un nombre pair inférieur à 5).

Les ensembles A et B sont des **ensembles finis** parce qu'on peut compter leurs éléments. Par contre, l'ensemble IN des nombres naturels est un **ensemble infini** parce qu'il contient un nombre *infini* d'éléments.

Un ensemble est décrit par un *diagramme de Venn,* si l'on fait une représentation graphique de cet ensemble où tous les éléments sont indiqués par des points identifiés et regroupés à l'intérieur d'une ligne simple fermée.

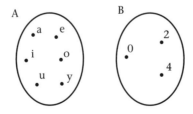

Voir aussi *cardinal, inclusion, intersection, réunion.*

ensemble-solution

Un **ensemble-solution** est l'ensemble des valeurs qui vérifient une *équation* ou une *inéquation*. C'est aussi l'ensemble des couples qui vérifient une *relation*.

entier (entier relatif) adj. et n. m. → *nombre entier*

énumérer v.

Énumérer les éléments d'un ensemble consiste à dresser la liste des éléments qui appartiennent à cet ensemble.

équation n. f.

Une **équation** est une expression mathématique dans laquelle on trouve un signe d'égalité et au moins une variable (souvent x et y).

EXEMPLES :

$$x + 7 = 23 \qquad 2y = 4x + 2$$

$$\Updownarrow$$

$$y = x + 5 \qquad y = 2x + 1$$

équations **équivalentes** (Voir *simplifier*.)

Une équation exprime une relation; elle donne un renseignement sur la valeur d'une ou de plusieurs variables. Par exemple, la première équation de l'exemple ci-dessus indique que x vaut 16. La deuxième équation indique que la valeur de y sera toujours égale à la valeur de x plus 5 : si x vaut 2, y vaudra 7; si x vaut 10, y vaudra 15.

On peut aussi dire qu'une équation pose une question : «Quels sont les nombres qui, remplaçant l'inconnue, donnent une égalité vraie?» Par exemple, l'équation $x + 7 = 23$ pose la question : «Quel est le nombre qui, augmenté de 7, égale 23?»

Une **équation du premier degré** est une équation dans laquelle on ne trouve pas de puissance (> 1) d'une variable, ni un produit de variables. Ainsi, $y = 2x$; $3x + 4y = 15$ et $x = 5$ sont des équations du premier degré.

On les appelle **équations linéaires** parce qu'elles sont toujours l'équation d'une *droite*.

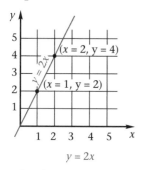

$y = 2x$

Sur chaque point de la droite, la valeur de *y* est le double de celle de *x*.

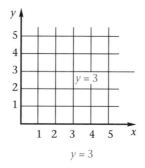

$y = 3$

Quelle que soit la valeur de *x*, la valeur de *y* est toujours 3.

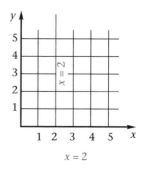

$x = 2$

Quelle que soit la valeur de *y*, la valeur de *x* est toujours 2.

$y + x = 5$

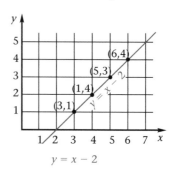

$y = x - 2$

Une **équation du second degré** est une équation dans laquelle on trouve, comme plus haute puissance, au moins une *variable* au carré ou un produit de deux variables. Ainsi, $y^2 = 9$, $x + x^2 = y^2$ et $xy = 12 + x$ sont des équations du second degré.

Voir aussi *forme propositionnelle*.

. . . .

équilatéral, le adj.

Un *polygone* est **équilatéral** si tous ses côtés sont *congrus*.

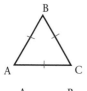

Le △ABC est équilatéral parce que $\mathrm{m}\overline{AB} = \mathrm{m}\overline{BC} = \mathrm{m}\overline{AC}$.

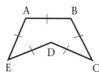

Le pentagone ci-contre est équilatéral parce que $\mathrm{m}\overline{AB} = \mathrm{m}\overline{BC} = \mathrm{m}\overline{CD} = \mathrm{m}\overline{DE} = \mathrm{m}\overline{AE}$.

équipotent, te adj. → *cardinal* et *ensemble*

équivalent, te adj. → *figure géométrique, fraction, équation*

estimation n. f.

Une **estimation** est la détermination de la valeur approchée d'un résultat par *calcul écrit* ou par *calcul mental*.

Voir aussi *approximation*.

estimer v.

Faire une *estimation*.

étendue n. f.

L'**étendue** est la différence entre la plus grande valeur et la plus petite valeur d'un ensemble de données.

EXEMPLE :
Les données d'un diagramme à bandes varient de 5 à 63. L'étendue est de 58.

Euler (relation d') → *relation d'Euler*

événement n. m.

Un **événement** est un *sous-ensemble* de l'ensemble des résultats possibles d'une expérience *aléatoire*.

EXEMPLE :

Une pièce de monnaie a 2 résultats possibles : soit {pile}, soit {face}.

La *probabilité* de chacun de ces résultats est de $\frac{1}{2}$.

Une pièce de monnaie a 4 événements possibles qui sont { }, {pile}, {face}, {pile, face}.

Le nombre de résultats d'une expérience aléatoire est représenté par la lettre n ; on trouve le nombre total d'événements à l'aide de l'expression : 2^n.

Il y a 2^2 événements pour une pièce de monnaie, soit les 4 événements nommés ci-dessus. Il y aura donc 2^6 événements dans le cas d'un dé à jouer.

Pour un dé à six faces numéroté de 1 à 6, l'événement qui consiste à obtenir un nombre pair est représenté par {2, 4, 6} et la probabilité de cet événement correspond à $\frac{1}{6} + \frac{1}{6} + \frac{1}{6} = \frac{3}{6} = \frac{1}{2}$.

La probabilité d'obtenir un nombre pair pour ce même dé est la même que la probabilité d'obtenir un nombre impair. Nous parlons alors d'**événements équiprobables**.

$$P(\{2, 4, 6\}) = P(\{1, 3, 5\}) = \frac{1}{2}$$

La probabilité d'obtenir un résultat inférieur à 2 est moins élevée que la probabilité d'obtenir un résultat supérieur à 2 sur ce même dé.

$$P(\{1\}) < P(\{3, 4, 5, 6\}) \qquad \frac{1}{6} < \frac{4}{6}$$

La probabilité d'obtenir un multiple de deux avec un dé à six faces numéroté de 1 à 6 est plus élevée que la probabilité d'obtenir un multiple de 3.

$$P(\{2, 4, 6\}) > P(\{3, 6\}) \qquad \frac{3}{6} > \frac{2}{6}$$

La probabilité d'obtenir un 7 avec un dé à six faces numéroté de 1 à 6 est dite impossible. $P(\{7\}) = 0$

La probabilité d'obtenir l'événement {1, 2, 3, 4, 5, 6} avec un tel dé est dite certaine et correspond donc à 100 % des chances.

$$P(\{1, 2, 3, 4, 5, 6\}) = 1 = 100\,\%$$

événement certain

L'ensemble de tous les résultats possibles d'une expérience *aléatoire*.

EXEMPLE :

Un dé à 6 faces numéroté de 1 à 6 : $\Omega = \{1, 2, 3, 4, 5, 6\}$.

L'événement *tire un chiffre compris entre 0 et 7 en lançant le dé* est égal à Ω. Cet événement est certain. Sa probabilité est 1 ou 100 %.

événement impossible

Un **événement impossible** est un événement dont la probabilité est 0; ou encore c'est un événement ne pouvant pas se réaliser.

EXEMPLE:

Obtenir 7 sur un dé numéroté de 1 à 6 est dit impossible et P (7) = 0.

e

événement indépendant (ou simple)

Un **événement indépendant** est un événement qui ne dépend pas du résultat d'un autre événement.

expérience n. f. → *probabilité*

exponentiel, elle adj.

Écrire un nombre sous sa forme **exponentielle**, c'est décomposer en facteurs ce nombre et utiliser les *exposants* pour indiquer combien de fois un facteur est contenu dans ce nombre.

EXEMPLES:

8 écrit sous sa forme exponentielle devient 2^3.
24 écrit sous sa forme exponentielle devient $2^3 \times 3$.

exposant n. m.

Un **exposant** est un nombre, une lettre, un symbole qui indique combien de fois une quantité est utilisée comme facteur.

Ainsi $6^2 = 6 \times 6$

$4^5 = 4 \times 4 \times 4 \times 4 \times 4$

Dans l'expression $2^3 = 8$,   2 est la base;

3 est l'exposant;

2^3 et 8 sont appelés puissance de 2.

Pour faciliter les calculs avec les nombres sous leur forme exponen-tielle, la connaissance de certaines lois est utile.

$a^m \times a^n = a^{m+n}$ Exemple : $2^3 \times 2^4 = 2^{3+4} = 2^7$

$\dfrac{a^m}{a^n} = a^{m-n}$ Exemple : $\dfrac{2^5}{2^2} = 2^{5-2} = 2^3$

$(a^m)^n = a^{m \times n}$ Exemple : $(2^3)^2 = 2^{3 \times 2} = 2^6$

$(abc)^m = a^m\, b^m\, c^m$ Exemple : $(2 \times 3 \times 4)^3 = 2^3 \times 3^3 \times 4^3$

$\left(\dfrac{a}{b}\right)^m = \dfrac{a^m}{b^m}$ Exemple : $\left(\dfrac{2}{3}\right)^4 = \dfrac{2^4}{3^4}$

$a^0 = 1$ Exemple : $6^0 = 1$

$$(1\,000\,000)^0 = 1$$

$$(^-5)^0 = 1$$

$a^{-n} = \dfrac{1}{a^n}$ Exemple : $3^{-2} = \dfrac{1}{3^2}$

$a^{\frac{1}{2}} = \sqrt[2]{a}$ Exemple : $4^{\frac{1}{2}} = \sqrt[2]{4}$

Voir aussi *puissance*.

....

expression algébrique   n. f.

Une **expression algébrique** est un ensemble de *variables* et de nom-bres liés les uns aux autres par des symboles d'opérations arithmé-tiques (+, −, ×, ÷). Les expressions suivantes sont des expressions algébriques :

$3a^2 - 5ab + 7ac - 8$

$3x^2\,(5x + 7) - 2x\,(x^2 - 4)$

expression fractionnaire

Une **expression fractionnaire** est une *expression algébrique* ou *numérique* se présentant sous la forme d'un *rapport* (*quotient*).

EXEMPLES :

$$\frac{3x + 4}{2} \qquad\qquad \frac{5 + 4}{2}$$

$$\frac{a + b}{c} \qquad\qquad \frac{7 + 3}{4}$$

$$\frac{x - 1}{x + 1}$$

expression numérique

Une **expression numérique** est un ensemble de nombres reliés entre eux par des symboles d'opérations arithmétiques (+, −, ×, ÷). Les expressions suivantes sont des expressions numériques :

$5 - 4 + 28 - 7 \times 2 + 3$

$5 (3 - 7 + 8)$

$$\frac{2,5(3,1 + 5,7) - 4(1 - 5,4)}{3,5}$$

extension n. f. → *ensemble*

extrêmes n. f. pl.

La plus petite et la plus grande valeur d'un ensemble de données.

EXEMPLE :
Les données d'un diagramme à bandes varient de 5 à 63. Les extrêmes sont 5 et 63.

Voir aussi *proportion*.

T

face n. f. → *polyèdre*

facteur n. m.

1. Les **facteurs** d'un *nombre* sont les éléments qui ont été multipliés pour obtenir ce nombre.

   EXEMPLES :

   4 et 6 sont les facteurs du nombre 24 car $4 \times 6 = 24$.

   $^-4$ et 9 sont les facteurs du nombre $^-36$ car $^-4 \times 9 = ^-36$.

2. Un **facteur** est dit **premier** si ce facteur est un *nombre premier*.

   EXEMPLE :

   Dans $2 \times 3 \times 3 \times 5 = 90$, les nombres 2, 3 et 5 sont les facteurs premiers de 90 et $2 \times 3 \times 3 \times 5$ est la décomposition en facteurs premiers de 90.

factorielle n. f.

Une **factorielle** est le *produit* de tous les entiers positifs inférieurs ou égaux à un nombre donné. La **factorielle** de *n* se note *n*!

EXEMPLE :

$5! = 5 \times 4 \times 3 \times 2 \times 1 = 120$

factoriser v. → *développer*

Fahrenheit → *degré*

fermé, ée adj.

1. Une figure **fermée** est une figure qui contient sa frontière.
   → *frontière*

2. Une ligne courbe est **fermée** si les deux extrémités de cette ligne se confondent.

   EXEMPLE :

3. Un ensemble E est dit **fermé** pour une opération quelconque (•) définie dans E si et seulement si, quels que soient les *éléments* x et y de E, le résultat de x • y est lui aussi élément de E.

Cette propriété d'un ensemble se nomme la **fermeture** d'un ensemble pour une opération.

EXEMPLES:

L'ensemble des *nombres naturels* ($\mathbb{N}$) est fermé pour l'addition et la multiplication parce que, quels que soient les nombres naturels qu'on additionne ou qu'on multiplie, la somme ou le produit est aussi un nombre naturel.

Notation:

soit $x \in \mathbb{N}$ et $y \in \mathbb{N}$

$\forall$ (se lit «pour tout») $x, y \in \mathbb{N}$

$(x + y) \in \mathbb{N}$ et $(xy) \in \mathbb{N}$

L'ensemble $\mathbb{N}$ n'est pas fermé pour la soustraction et la division parce que:

soit $x \in \mathbb{N}$ et $y \in \mathbb{N}$

$\exists$ (se lit «il existe») $x, y \in \mathbb{N}$, tels que:

$(x - y) \notin \mathbb{N}$ et $(x \div y) \notin \mathbb{N}$

4. Un **intervalle** est dit **fermé** lorsqu'il comprend ses deux extrémités.

5. Un réseau est dit **fermé** lorsqu'il ne comprend aucun **nœud terminal**.

figure géométrique n. f.

Une **figure géométrique** est un dessin servant à représenter diverses notions mathématiques. Une figure géométrique peut avoir 0, 1, 2 ou 3 *dimensions*.

EXEMPLES:

- Le *point* est une figure géométrique sans dimension.

- La *droite* est une figure géométrique à 1 dimension.

- Le *triangle* est une figure géométrique à 2 dimensions.

- Le *cube* est une figure géométrique à 3 dimensions.

Deux **figures** géométriques sont dites **congruentes** si l'on peut les superposer par un déplacement.

Ces **figures** ont leurs côtés et leurs angles *correspondants* d'égale mesure.

Deux **figures** géométriques sont dites **semblables** si leurs angles correspondants sont *congrus* et si leurs côtés correspondants sont proportionnels.

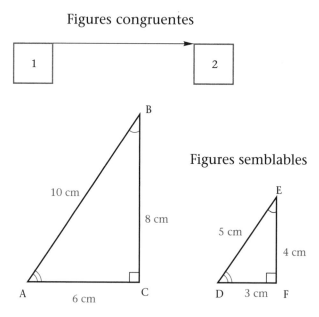

Figures congruentes

Figures semblables

Ces deux triangles sont semblables, **car** les angles correspondants sont congrus **deux à deux et** les côtés correspondants ont le même rapport $\left(\dfrac{1}{2}\right)$.

Deux figures géométriques sont dites des **figures équivalentes** si leurs aires sont égales, quelles que soient leurs formes.

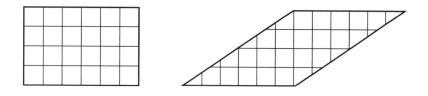

Ces deux figures sont équivalentes car elles ont la même aire.

figure initiale

Une **figure initiale** est une *figure géométrique* sur laquelle on applique une *transformation géométrique*.

Voir aussi *transformation géométrique*.

figure plane

Une **figure plane** est une *figure géométrique* dont tous les *points* appartiennent à un même *plan*.

figure symétrique → *symétrie*

fini, ie adj. → *ensemble* et *infini*

forme propositionnelle* n. f.

Une **forme propositionnelle** est un énoncé mathématique comportant une ou plusieurs variables. Si l'on donne des valeurs à ces variables, l'énoncé mathématique devient une *proposition* qui peut être vraie ou fausse.

EXEMPLES :
$3 + n = 10$ est une forme propositionnelle.
$3 + 5 = 10$; si $n = 5$, la proposition est fausse.
$3 + 7 = 10$; si $n = 7$, la proposition est vraie.

formule n. f.

Formules d'aire : *voir carré, rectangle, disque...*
Formules de volume : voir *cube, parallélépipède, cylindre...*

fraction n. f.

Une **fraction** est un nombre rationnel exprimé sous la forme $\dfrac{a}{b}$ où a et b sont des nombres entiers et $b \neq 0$.

EXEMPLE :

$$\dfrac{3}{4} \quad \begin{array}{l} \rightarrow \text{numérateur} \\ \rightarrow \text{dénominateur} \end{array}$$

Le **dénominateur** exprime le nombre de parties équivalentes qu'il y a dans un tout (4 dans l'exemple qui précède).

Le **numérateur** exprime le nombre de parts prises (3 dans l'exemple qui précède).

Représentation graphique de quelques fractions :

$\frac{1}{10}$	$\frac{1}{10}$	$\frac{1}{10}$	$\frac{1}{10}$	$\frac{1}{10}$			$\frac{5}{10}$	$=\frac{1}{2}$
		$\frac{1}{2}$				$\frac{1}{2}=\frac{2}{4}$		
	$\frac{1}{4}$				$\frac{3}{4}$			
$\frac{1}{8}$			$\frac{3}{8}$			$\frac{4}{8}=\frac{2}{4}=\frac{1}{2}$		

Une fraction est toujours le résultat d'une division.

Par exemple, $2 \div 5 = \dfrac{2}{5} = 0,4$.

FRACTION DÉCIMALE

Fraction dont le dénominateur est une puissance de 10.

EXEMPLE :

$$\frac{3}{10} = \frac{3}{10^1} \qquad\qquad \frac{28}{10^2} = \frac{28}{100} \qquad\qquad \frac{49}{10^3} = \frac{49}{1000}$$

$\dfrac{3}{10}, \dfrac{28}{100}, \dfrac{49}{1000}$ sont 3 fractions décimales.

FRACTIONS ÉQUIVALENTES

Des **fractions équivalentes** sont des fractions qui représentent le même nombre.

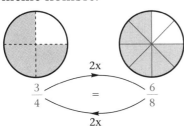

La fraction n'a pas changé puisqu'on a doublé à la fois le nombre de parts faites (la grandeur de la part a diminué de moitié) et le nombre de parts prises.

Remarques :

1) $5 = \dfrac{5}{1}$

2) On ne peut jamais avoir une fraction dont le dénominateur est zéro.

Voir aussi *simplifier*.

FRACTION IMPROPRE

Fraction dont le numérateur est plus grand que le dénominateur.

EXEMPLE :

$$\dfrac{8}{5}, \ \dfrac{14}{3}, \ \dfrac{29}{7}$$

FRACTION IRRÉDUCTIBLE

Une **fraction** est **irréductible** si l'on ne peut plus la simplifier. Par exemple $\dfrac{1}{4}$ et $\dfrac{8}{25}$ sont des fractions irréductibles, tandis que $\dfrac{4}{8}$ ne l'est pas. Toutes les fractions équivalentes représentent le même nombre. En général, on écrit ce nombre sous la forme d'une fraction irréductible. On peut donc dire qu'une fraction irréductible est le **représentant** de l'ensemble des fractions équivalentes.

Voir aussi *simplifier*.

FRACTION PROPRE

Fraction dont le numérateur est plus petit que le dénominateur.

EXEMPLE :

$$\dfrac{2}{3}, \ \dfrac{3}{4}, \ \dfrac{5}{13}$$

COMPARAISON DE FRACTIONS

1. De deux fractions de même dénominateur, la plus grande est celle qui a le plus grand numérateur.

   EXEMPLE:

   $$\frac{4}{11} > \frac{3}{11}$$

2. De deux fractions de même numérateur, la plus grande est celle qui a le plus petit dénominateur, puisqu'on prend autant de parts plus grandes.

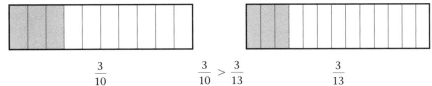

$$\frac{3}{10} \qquad \frac{3}{10} > \frac{3}{13} \qquad \frac{3}{13}$$

3. Dans les autres cas, le plus simple est de rechercher un dénominateur commun aux deux fractions.

   EXEMPLE:

   Comparaison de $\frac{2}{5}$ et $\frac{3}{8}$.

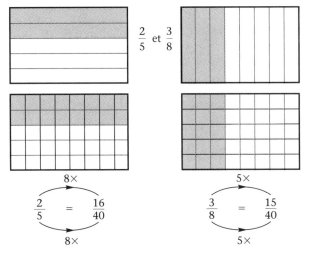

$$\frac{2}{5} \text{ et } \frac{3}{8}$$

$$\overset{8\times}{\frac{2}{5}} = \frac{16}{40} \underset{8\times}{} \qquad \overset{5\times}{\frac{3}{8}} = \frac{15}{40} \underset{5\times}{}$$

$$\frac{16}{40} > \frac{15}{40} \text{ donc } \frac{2}{5} > \frac{3}{8}$$

Le plus petit dénominateur commun est le *PPCM* des dénominateurs.

ADDITION ET SOUSTRACTION DE FRACTIONS

1. Si les fractions ont même dénominateur, on additionne (ou l'on soustrait) les numérateurs en gardant le dénominateur.

$$\frac{1}{6} \qquad + \qquad \frac{4}{6} \qquad = \qquad \frac{5}{6}$$

et non $\dfrac{1}{6} + \dfrac{4}{6} = \dfrac{5}{12}$.

2. Si les fractions n'ont pas même dénominateur, il faut rechercher un *dénominateur commun*.

$$\frac{2}{3} + \frac{1}{4} = \frac{8}{12} + \frac{3}{12} = \frac{11}{12}$$

Le plus petit dénominateur commun est le *PPCM*

En règle générale, on procède en 4 étapes pour additionner des fractions :

1° On simplifie au maximum chaque fraction.
2° On réduit au même dénominateur les fractions simplifiées (voir *dénominateur commun*).
3° On écrit la fraction qui a pour numérateur la somme des numérateurs et pour dénominateur le dénominateur commun.
4° On simplifie, si possible, la fraction ainsi trouvée.

MULTIPLICATION DE FRACTIONS

1. Pour multiplier une fraction par un entier, on multiplie uniquement le numérateur de la fraction par ce nombre.

$$3 \times \qquad\qquad = $$

$$3 \times \frac{2}{7} \qquad\qquad = \qquad \frac{6}{7}$$

Quand c'est possible, on peut diviser le dénominateur par ce nombre.

$$3 \times \frac{2}{15} = \frac{2}{15 \div 3} = \frac{2}{5}$$

(On a encore 2 parts, mais 3 fois plus grandes.)

2. Pour multiplier une fraction par une fraction, on multiplie entre eux les numérateurs ainsi que les dénominateurs, et on simplifie le résultat quand c'est possible.

$$\frac{2}{3} \times \frac{5}{14} = \frac{2 \times 5}{3 \times 14} = \frac{10}{42} = \frac{5}{21}$$

DIVISION DE FRACTIONS

1. Pour diviser une fraction par un nombre entier non nul, on multiplie la fraction par l'inverse de ce nombre entier.

$$\frac{2}{3} \div 5 = \frac{2}{3} \times \frac{1}{5} = \frac{2}{3 \times 5} = \frac{2}{15}$$

(On a toujours 2 parts, mais 5 fois plus petites.)

Quand c'est possible, on peut diviser le numérateur par ce nombre.

$$\frac{8}{15 \times 2} = \frac{8 \div 2}{15} = \frac{4}{15}$$

(On a deux fois moins de parts identiques.)

2. Pour diviser une fraction par une fraction, on multiplie la première fraction par la fraction *inverse* de la seconde.

$$\frac{2}{3} \div \frac{5}{7} = \frac{2}{3} \times \frac{7}{5} = \frac{14}{15} \qquad\qquad 2 \div \frac{5}{7} = 2 \times \frac{7}{5} = \frac{14}{5}$$

PUISSANCE D'UNE FRACTION

$$\left(\frac{3}{5}\right)^2 = \frac{3^2}{5^2} = \frac{9}{25}$$

fréquence n. f.

La **fréquence** est l'expression du nombre d'observations d'un type donné d'événement. Elle s'exprime en nombre ou plus souvent en *pourcentage*.

frise n. f.

Une bande sur laquelle un motif se répète régulièrement et en suivant un certain ordre est appelée une **frise**.

frontière n. f.

La **frontière**, encore appelée **contour** ou **bord**, d'une figure est ce qui en constitue la limite.

Une figure **fermée** est une figure qui contient sa frontière.
Une figure **ouverte** est une figure qui ne contient aucun point de sa frontière.

Voir aussi *ligne* et *surface*.

gain n. m. → *bénéfice*

géométrique adj. → *progression*

gramme n. m. → *masse*

grandeur n. f.

Une **grandeur** est une propriété que l'on peut mesurer.

EXEMPLES :

La hauteur d'une porte, le prix d'un vélo, la masse d'un pain.

graphe n. m.

1. Un **graphe** est un *réseau*.
2. Le **graphe** d'une relation est l'ensemble des couples d'une *relation*. Il ne faut pas confondre **graphe** et **graphique**: le graphe est l'ensemble des couples d'une relation, tandis que le graphique en est la représentation visuelle.

Voir aussi *graphique* et *réseau*.

graphique n. m.

Un **graphique** est un dessin qui peut illustrer: la variation d'une grandeur mesurable, une relation entre deux ou plusieurs ensembles, un *algorithme*, un programme d'informatique, etc.

groupement n. m.

Un **groupement** est l'action de grouper, de réunir, d'assembler des objets selon des caractéristiques prédéterminées. Si l'on désire travailler la *base* 10, on fera des groupements de 10 objets. Si l'on désire travailler la base 3, on fera des groupements de 3 objets. Par contre, si l'on désire travailler sur les *quadrilatères*, on pourra faire des groupements de trapèzes, de parallélogrammes, de rectangles, etc.

hasard n. m.

Le **hasard** est ce qui ne peut être prévu ni expliqué de façon certaine.

hauteur n. f.

La **hauteur** d'une figure est la distance entre deux de ses *bases*, ou entre son sommet et sa base, toujours prise perpendiculairement à la base.

Hauteur du triangle
(si la base est le segment AB)

Hauteur du
parallélogramme

Hauteur de la
pyramide

La **hauteur** d'un triangle est aussi la droite perpendiculaire à la *base* et passant par le sommet opposé.

hectare n. m.

1 ha = 10 000 m² → *aire*

hectolitre n. m.

1 hl = 100 l → *capacité*

heptagone n. m.

Polygone à 7 côtés → *polygone*

h

heure n. f.

Une **heure**, c'est la vingt-quatrième partie d'une journée. Dans une heure, on compte 60 *minutes*. Dans le *Système international d'unités de mesure* (SI), le symbole h signifie «heure» et le symbole d (du latin **dies**) signifie «jour».

1 d = 24 h
1 h = 60 min (minutes)

Voir aussi *SI*.

hexaèdre n. m.

Un **hexaèdre** est un *polyèdre* à 6 faces. Par exemple, un *cube* est un hexaèdre régulier.

hexagone n. m.

Un **hexagone** est un *polygone* à 6 côtés. → *polygone*

Hexagones réguliers

Tout rayon du cercle *circonscrit* à l'hexagone régulier a même longueur que le côté de l'hexagone. Pour construire un hexagone régulier, il suffit donc de reporter successivement sur le cercle 6 arcs de cercle avec une ouverture de compas égale au rayon.

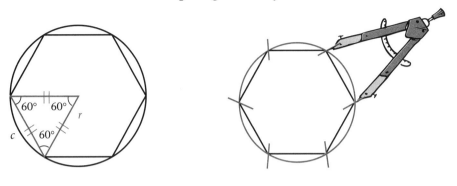

homologue adj.

Des éléments sont dits **homologues** s'ils correspondent l'un à l'autre dans des figures *congruentes* ou dans des figures *semblables*.

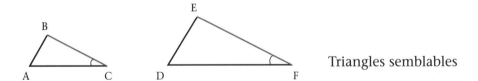

Triangles semblables

$\overline{BC}$ et $\overline{EF}$ sont deux côtés homologues.
Les angles C et F sont homologues.

Triangles congruents

$\overline{GH}$ et $\overline{JK}$ sont deux côtés homologues.
Les angles H et K sont homologues.

Le mot **correspondant** est synonyme de homologue.

homothétie* n. f.

Une **homothétie** est une *transformation géométrique* qui agrandit ou réduit une figure dans les mêmes proportions (le même rapport) à partir d'un point appelé **centre d'homothétie**. On dit que la figure et son image sont *semblables*.

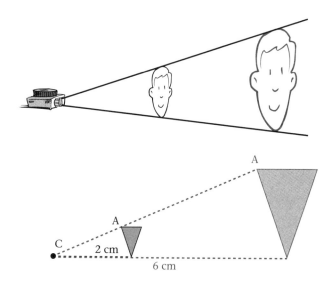

Homothétie de centre C et de rapport $k = e \left(\dfrac{6 \text{ cm}}{2 \text{ cm}} \right)$

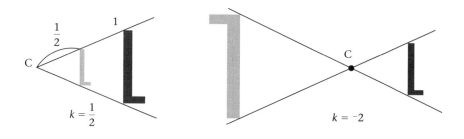

Le rapport k de l'homothétie peut être associé à un rapport d'*échelle*.

horloge n. f.

Appareil de mesure du temps indiquant l'heure.

horloge analogique

Appareil de mesure du temps composé d'un cadran et d'aguilles.

horloge numérique

Appareil de mesure du temps indiquant l'heure. Les chiffres sont mobiles.

hypoténuse n. f.

L'**hypoténuse** d'un *triangle rectangle* est son plus grand côté. C'est le côté opposé à l'angle droit.

hypothèse n. f.

1. Une **hypothèse** est un énoncé que l'on tente de démontrer.

EXEMPLE :

« L'addition est commutative dans ℕ » est une hypothèse que l'on peut vérifier par une démonstration mathématique.

2. On emploie également le mot **hypothèse** pour désigner un ensemble de faits que l'on utilisera dans la démonstration d'un fait différent.

EXEMPLE :

Soit les deux triangles ABC et DEF.

Prenons comme hypothèse que m $\angle$ A = m $\angle$ D ; m $\angle$ B = m $\angle$ E et que m $\overline{AB}$ = m $\overline{DE}$.

On peut alors démontrer que les triangles ABC et DEF sont congruents.

icosaèdre n. m.

Polyèdre à 20 faces. → *polyèdre*

identique adj. → *isométrie*

illimité, ée adj.

Une figure **illimitée** est une figure qui n'est pas partout limitée par une frontière : l'*angle*, la *droite*, la *demi-droite*, sont des figures illimitées.

Par contre, le *segment*, le *carré*, le *rectangle*, le *disque*, etc., sont des figures limitées.

Il ne faut pas confondre *illimité* et *infini* : un segment est limité (il a des limites), mais il est constitué d'un nombre infini de points. Il en va de même pour toutes les surfaces limitées.

. . . .

image n. f.

L'**image** d'un objet par une *transformation géométrique*, c'est ce en quoi est transformé l'objet après l'application de cette transformation.

EXEMPLE :

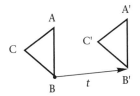

Le triangle A' B' C' est l'image du triangle ABC par la translation t.

. . . .

impair, re adj. → *nombre impair*

. . . .

inclusion n. f.

Un *ensemble* A est **inclus** dans un ensemble E si tout élément de A appartient aussi à E.

EXEMPLE :

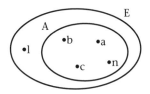

L'ensemble A des lettres du mot « banc » est inclus dans l'ensemble E des lettres du mot « blanc ».
On écrit A ⊂ E (A est inclus dans E).

On dit que A est un **sous-ensemble** de E, ou encore une **partie** de E. L'ensemble B = {l, a, c} est une autre partie de E.

On emploie la notation A ⊂ E
si et seulement si # E > # A. La notation « ⊆ » peut être utilisée si A ⊂ E ou A = E.

inconnue n. f.

Dans une *équation*, une **inconnue** est un nombre ou une grandeur dont on ne connaît pas la valeur et qu'on représente par une lettre : x, y, z, etc.

EXEMPLES :
$5x + 3 = 23$ est une équation à une inconnue : x.
$3y^2 + 5z = 32$ est une équation à deux inconnues : y et z.

Parfois, les renseignements sont suffisants pour déterminer exactement la valeur de l'inconnue, comme dans la première équation : $x = 4$. Dans la seconde équation, les inconnues peuvent prendre plusieurs valeurs (par exemple, $y = 3$ et $z = 1$, ou bien $y = 2$ et $z = 4$).

Aujourd'hui, on emploie davantage le terme *variable* plutôt que le terme **inconnue**.

Voir aussi *variable*.

inégalité n. f.

Une **inégalité** est une relation d'*ordre* entre des nombres ou des grandeurs.

Les symboles d'inégalité utilisés sont :
< (inférieur à) ;
≤ (inférieur ou égal à) ;
> (supérieur à) ;
≥ (supérieur ou égal à) ;
≠ (différent de).

EXEMPLES :
$4 > 2$ (se lit « quatre est supérieur à 2 »).
$\dfrac{1}{3} < \dfrac{1}{2}$ (se lit « un tiers est inférieur à un demi »).

inéquation n. f.

Une **inéquation** est un énoncé mathématique contenant une ou plusieurs *variables* ainsi qu'une relation d'*inégalité*.

EXEMPLES :
$3x - 2 > 14$
$7 - 5 \leq y$

infini, ie adj.

Infini signifie «tellement grand qu'il existe toujours un nouvel élément que l'on n'a pas encore répertorié». Cette notion dépasse notre imagination. Par exemple, elle s'étend encore au-delà de l'ensemble des étoiles ou des grains de sable sur la Terre.

En mathématique, on rencontre souvent cette notion d'infini.

EXEMPLES:
- Les multiples de 5 sont en nombre infini: le plus grand multiple de 5 n'existe pas.
- Les points qui constituent un *segment* ou un carré sont en nombre infini: entre deux points, aussi rapprochés soient-ils, on peut toujours en intercaler au moins un autre.
- L'ensemble des *nombres naturels* est un ensemble infini: il y en a toujours un qui suit celui qu'on croit être le dernier.

Voir aussi *illimité*.

inscrit, te* adj.

Une figure est **inscrite** dans une autre si tous les sommets de la première appartiennent à la frontière de la deuxième. Se dit aussi d'un cercle situé à l'intérieur d'un polygone et qui touche à tous les côtés de ce polygone.

Cercle inscrit
dans un triangle

Carré inscrit
dans un cercle

intérêt n. m.

Quand on dépose une somme d'argent en banque, elle produit un revenu appelé **intérêt**.

Quand on emprunte une somme d'argent pendant un certain temps, il faut rembourser, en plus de cette somme, un **intérêt** en échange du service rendu.

L'intérêt I varie avec :
- la *durée T* du placement ou de l'emprunt ;
- le **capital** C (la somme placée ou empruntée) ;
- le **taux** t du placement ou de l'emprunt (l'intérêt sur 100 $ pendant 1 an).

$$I = C \times T \times t$$

EXEMPLE :

Capital $C = 20\,000\,\$$

Durée $T = 6$ mois $= \dfrac{1}{2}$ an $\Bigg\}$ $I = 20\,000\,\$ \times \dfrac{1}{2} \times \dfrac{14}{100} = 1\,400\,\$$

Taux $t = 14\,\%$

intersection n. f.

L'**intersection** de deux *ensembles* A et B est l'ensemble des éléments qui appartiennent à la fois à A et à B. On la note $A \cap B$ (A inter B).

$A = \{a, b, c, d, e\}$
$B = \{d, e, f\}$
$A \cap B = \{d, e\}$

Des ensembles **disjoints** sont des ensembles dont l'intersection est vide. Par exemple, l'ensemble P des nombres pairs et l'ensemble {1, 3, 9} des diviseurs de 9 sont des ensembles disjoints.

Voir aussi *diagramme de Venn*.

....

inverse adj. et n. m.

Des nombres sont **inverses** si leur produit est 1.

EXEMPLES :

- L'inverse de 3 est $\dfrac{1}{3}$ car $3 \times \dfrac{1}{3} = 1$.

- L'inverse de 2 est 0,5 car $2 \times 0{,}5 = 1$ ou encore,

- L'inverse de 2 est $\dfrac{1}{2}$ car $2 \times \dfrac{1}{2} = 1$.

- L'inverse de $\dfrac{4}{9}$ est $\dfrac{9}{4}$ car $\dfrac{4}{9} \times \dfrac{9}{4} = 1$.

Remarque : 0 n'a pas d'inverse !

....

irrationnel, elle* adj. → *nombre irrationnel*

....

irrégulier, ière adj. → *polygone*

....

isocèle adj. → *trapèze* et *triangle*

....

isométrie* n. f.

Une **isométrie** et une *transformation géométrique* qui conserve les mesures. Les *translations*, les *rotations*, les *symétries* sont des isométries, mais les *homothéties* (de rapport $k \neq 1$ et $k \neq {}^-1$) ne sont pas des isométries.

La **transformation identique** est une isométrie qui transforme chaque point en lui-même. Exemple : une *rotation* d'angle nul (multiple de 360°).

isométrique* adj.

Isométrique signifie «qui a même mesure», ou «qui est une image par une isométrie».

Côtés isométriques

Angles isométriques

kilo préfixe

Kilo signifie «mille»: un kilomètre = 1000 mètres; 1 kg = 1000 g.

kilogramme n. m.

1 kg = 1000 g → *masse*

kilomètre n. m.

1 km = 1000 m → *longueur*

largeur n. f. → *rectangle* et *parallélépipède*

latéral, le adj.

Dans un prisme, une pyramide, un cône, un cylindre, le terme **latéral** désigne tout ce qui est «autre que la base»: *arête* latérale, *face* latérale, *surface* latérale.

lieu géométrique n. m.

Un **lieu géométrique** est l'ensemble de tous les points qui possèdent une caractéristique commune. Par exemple, la *bissectrice* d'un angle est un lieu géométrique, puisque c'est le lieu de tous les points équidistants des deux côtés de cet angle. De même, le *cercle* est un lieu géométrique puisque tous les points qui le composent sont équidistants d'un point central.

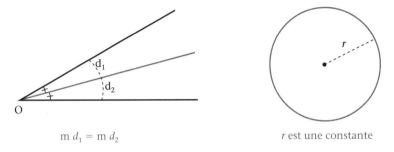

$$m\ d_1 = m\ d_2 \qquad\qquad r \text{ est une constante}$$

ligne n. f.

Une **ligne** est une figure à une *dimension* de l'espace.

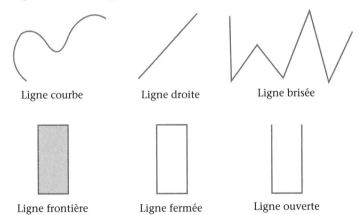

| Ligne courbe | Ligne droite | Ligne brisée |

| Ligne frontière | Ligne fermée | Ligne ouverte |

Voir aussi *convexe et illimité*.

linéaire adj. → *équation*

litre n. m. → *capacité*

longueur n. f.

La **longueur** est la grandeur d'une *ligne*, d'un segment.

C'est aussi la plus grande *dimension* d'un objet.

On peut :

1. Comparer la longueur de deux objets.

2. Mesurer la longueur d'un objet avec un étalon de mesure : la main (empan) ou un feutre.

Longueur de la table = 7   Longueur de la table = 5

3. Mesurer la longueur d'un objet à l'aide d'unités conventionnelles.

Le **millimètre** (mm).

Le **centimètre** (cm). Tes ongles mesurent environ 1 cm.

Le **décimètre** (dm) 1 dm = 10 cm.

Le **mètre** (m) 1 m = 100 cm : la distance de tes pieds au nombril, ou encore un grand pas que tu fais.

Le **kilomètre** (km) 1 km = 1 000 m : pour faire 1 km, tu dois faire plus de mille pas.

4. Utiliser des formules pour calculer rapidement le *périmètre* de certaines figures.

EXEMPLES :
- Périmètre du carré = $4 \times c$.
- Périmètre du cercle = $2\pi r$.
- Périmètre du triangle équilatéral = $3 \times c$.

losange n. m.

Un **losange** est un *quadrilatère* dont les côtés sont congrus.

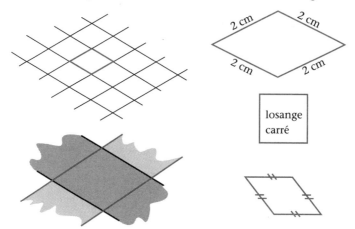

Les propriétés du losange sont les suivantes:
- toutes les propriétés du parallélogramme;
- ses médianes sont de même longueur;
- ses diagonales sont perpendiculaires;
- ses diagonales sont des axes de symétrie.

Périmètre $\boxed{4 \times c}$

Formule d'aire $\boxed{\dfrac{D \times d}{2}}$

grande diagonale D / petite diagonale d / côté c

Origine de la formule

Application de la formule

Le losange est un demi-*rectangle* dont les dimensions sont D et d.

aire $= \dfrac{6 \text{ cm} \times 4 \text{ cm}}{2}$

$= 12 \text{ cm}^2$

Voir aussi *parallélogramme*.

M masse n. f.

La **masse** d'un objet est sa propriété d'être plus ou moins lourd. La masse d'un objet ne dépend que de son volume et de la matière (des matières) dont l'objet est constitué. Par contre, le **poids** de cet objet, lui, dépend aussi du lieu où il se trouve (sur la Terre ou sur la Lune, au pôle ou à l'équateur…): le poids mesure la force avec laquelle l'objet est attiré.

On peut :

1. Comparer la masse de deux objets.

La pomme est plus lourde que le citron.

2. Mesurer la masse d'un objet en utilisant un objet-unité de référence et en cherchant le nombre d'objets-unités nécessaires pour équilibrer la balance.

La masse du citron est égale à la somme des masses de 7 billes.

3. Mesurer la masse d'un objet à l'aide d'unités conventionnelles.

Le **kilogramme** (kg) est la masse d'un litre (dm³) d'eau pure.

Le **gramme** (g) 1 g = $\dfrac{1}{1000}$ kg.

C'est environ la masse d'un quart de carré de sucre.

La **tonne** (t) 1 t = 1000 kg
C'est environ la masse d'une voiture.
C'est encore la masse de 1000 litres d'eau.

Pour de l'eau, on peut établir une correspondance entre les unités de volume et les unités de masse. Ainsi:
- 1 cm³ d'eau équivaut à 1 g;
- 1 dm³ d'eau équivaut à 1 kg;
- 1 m³ d'eau équivaut à 1 t.

MAIS: 1 dm³ d'huile, de bois ou d'alcool pèse moins que 1 kg (toutes ces matières flottent sur l'eau);

1 dm³ de sel, de sable ou de fer pèse plus que 1 kg (toutes ces matières s'enfoncent dans l'eau).

4. Utiliser une balance de ménage ou une balance digitale pour obtenir une mesure précise et rapide.

médiane* n. f.

1. Les **médianes** d'un *quadrilatère* sont les droites qui joignent les milieux des côtés opposés.

Par extension, ce sont les segments de ces droites limités au contour du quadrilatère.

Les médianes d'un quadrilatère sont rarement de même longueur. Par contre, elles se coupent toujours en leur milieu.

Voir aussi *losange et rectangle*.

2. Une **médiane** d'un triangle est une droite qui joint un sommet au milieu du côté opposé. Tout triangle possède 3 médianes.

médiatrice* n. f.

La **médiatrice** d'un **segment** de droite est la droite qui est perpendiculaire à ce segment et qui le coupe en son milieu. C'est l'axe de *symétrie* du segment de droite.

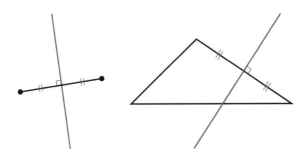

Chacun de ses points est à égale distance des extrémités du segment.

mesure n. f.

Une **mesure** est l'évaluation d'une grandeur par rapport à une autre grandeur servant d'unité de référence. On peut mesurer une *longueur*, une *aire*, un *volume*, un *angle*, etc.

Voir aussi *capacité et masse*.

mètre n. m. → *longueur*

mètre carré

1 m^2: *aire* d'un carré de 1 m de côté. → *aire*

mètre cube

1 m^3: *volume* d'un cube de 1 m d'*arête*. → *volume*

milieu n. m.

Le **milieu** d'un *segment,* c'est le point du segment situé à égale distance des extrémités du segment.

Il est unique et il appartient au segment.

mille adj. numér. → *règles d'orthographe*

milliard n. m.

Un **milliard** est équivalent à mille millions. C'est la dixième position à gauche de la *virgule de cadrage.* Un milliard peut aussi être défini comme étant la neuvième puissance de dix.

1 000 000 000 = 1000 millions
1 000 000 000 = 10^9

millième n. m.

$0,001 = \dfrac{1}{1000}$ → *nombre décimal*

millier n. m.

Un millier correspond à un *groupement* de mille unités dans le *système décimal de numération.*

milligramme n. m.

1 mg = $\dfrac{1}{1000}$ g → *masse*

millilitre n. m.

1 ml = $\dfrac{1}{1000}$ l → *capacité*

millimètre n. m.

1mm = $\dfrac{1}{1000}$ m → *longueur*

million n. m.

Un **million** est équivalent à mille mille. C'est la septième position à gauche de la *virgule de cadrage*. Un million peut aussi être défini comme étant la sixième *puissance* de dix.

1 000 000 = 1000 mille
1 000 000 = 10^6

minute n. f.

1. Une **minute** est une sous-unité de mesure d'angle.

Voir aussi *degré* et *SI*.

2. Une **minute** est aussi une sous-unité de mesure de *temps*.

Voir aussi *temps* et *SI*.

mode* n. m.

Le **mode** est la valeur ayant la *fréquence* la plus élevée dans une distribution où la *variable* est *discrète*.

EXEMPLES :
* Si les données d'une distribution sont :
  0, 1, 2, 2, 3, 3, 4, 4, 4, 5, 5, 6, 6, 6, 7, 7, 7, 7, 8, 8 ;
  alors le mode est 7.
* Si les données sont :
  3, 2, 4, 4, 2, 1, 0, 5, 6 ;
  alors les modes sont 2 et 4.

N.B. Lorsqu'il y a deux modes dans la même distribution de données, on dit que cette distribution est **bimodale**.

modulo n. m.

Si *x* et *y* ont le même *reste* lorsqu'on les divise par *n*, on dit que *x* est congru à *y* **modulo** *n* ($x \equiv y$ mod *n*).

EXEMPLE :
$25 \equiv 33$ mod 4 (se lit « 25 est congru à 33 modulo 4 »)
parce que 25 ÷ 4 = 6 reste 1 et que 33 ÷ 4 = 8 reste 1.

moins adv.

Le symbole moins (−) est utilisé pour signifier une *soustraction*. On utilise aussi ce symbole pour désigner un nombre négatif.

$$8 - 3 = 5$$

Symbole de la soustraction (se lit «moins»)

moyen n. m. → *proportion*

moyenne n. f.

La **moyenne (arithmétique)** de plusieurs quantités est la somme de ces quantités divisée par le nombre de quantités additionnées.

EXEMPLE:

$$\text{Taille moyenne} = \frac{12 \text{ cm} + 16 \text{ cm} + 11 \text{ cm}}{3} = 13 \text{ cm}$$

La moyenne est toujours inférieure à la plus grande valeur et supérieure à la plus petite.

multiple adj. et n. m.

Un nombre est **multiple** d'un autre s'il le contient exactement zéro, une ou plusieurs fois.

EXEMPLES:
21 est multiple de 7; car 7 est contenu exactement 3 fois dans 21.
De même, 28 est multiple de 7.
7 est multiple de 7.

MAIS : 15 n'est pas multiple de 7.

7N = {0, 7, 14, 21, 28, 35, 42, ...}

0 est un multiple de tous les nombres.

Voir aussi *PPCM*

multiple commun

Un nombre qui est un multiple de deux ou plusieurs nombres est un **multiple commun** à ces nombres.

> 12 est un multiple de 2 ;
> 12 est un multiple de 6.

Donc, 12 est un multiple commun à 2 et 6.

Voir aussi *PPCM*

multiplication n. f.

La **multiplication** est une des quatre *opérations* de base en arithmétique. Cette opération consiste à trouver le *produit* de deux ou plusieurs *termes*. Lorsqu'on effectue une multiplication, le premier terme se nomme **multiplicande** et le deuxième, **multiplicateur**.

Voir aussi *table de multiplication.*

IN

Ensemble des nombres naturels. → *nombre naturel*

naturel, elle adj. → *nombre naturel*

négatif, ive adj. → *nombre négatif*

neutre adj. → *élément neutre*

nœud n. m.

Nom donné à chacun des points d'un *réseau*.

**Nœud d'intersection
(de carrefour)**

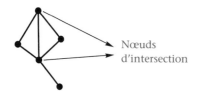

Nœuds
d'intersection

Nœud où se rencontrent au moins
trois branches.

Nœud de relais

Nœud
de relais

Nœud où se rencontrent
exactement deux branches.

Nœud impair

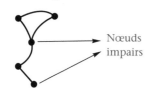

Nœuds
impairs

Nœud où se rencontrent
un nombre impair de branches.

Nœud pair

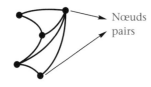

Nœuds
pairs

Nœud où se rencontrent un
nombre pair de branches.

Nœud terminal

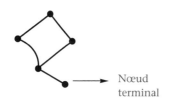

Nœud
terminal

Nœud d'où part une et
une seule branche.

nombre n. m.

Un **nombre** est un élément d'un ensemble de nombres.

Un **nombre** est un objet mathématique représentant une quantité, une grandeur, une position, etc. On utilise les *chiffres* (0, 1, 2, 3, 4, 5, 6, 7, 8 et 9) comme symboles des nombres.

EXEMPLES :

$5 \in \mathbb{N}$, $^-4 \in \mathbb{Z}$, $\dfrac{1}{2} \in \mathbb{Q}$, $\sqrt{2} \in \mathbb{Q}'$. Tous ces nombres $\in \mathbb{R}$.

Voir *nombre carré, nombre composé, nombre décimal, nombre entier, nombre naturel, nombre négatif, nombre périodique, nombre positif, nombre premier, nombre rationnel, nombre réel, nombre triangulaire.*

nombre à virgule → *nombre décimal*

nombre carré

Nombre ayant, entre autres, deux *facteurs* identiques.

Nombre qu'on peut représenter par des ensembles de points répartis sur un carré ou par une suite de carrés superposés.

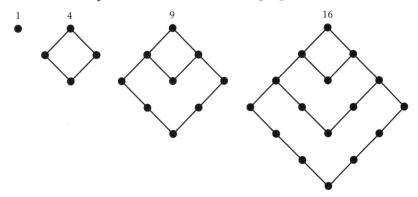

nombre composé

Un nombre naturel supérieur ou égal à 2 qui possède plus de deux diviseurs est appelé **nombre composé**.

EXEMPLES :

4 est un nombre composé (3 diviseurs : 1, 2, 4).
6 est un nombre composé (4 diviseurs : 1, 2, 3, 6).

nombre décimal (nombre à virgule)

Un **nombre décimal** est un nombre rationnel écrit selon le système décimal. Le nombre de chiffres après la virgule est fini. Un nombre décimal peut s'écrire sous la forme fractionnaire où le dénominateur est une puissance de 10.

EXEMPLE :

12,406 (se lit « douze unités quatre cent six millièmes »)

Un nombre décimal peut être représenté sur une droite de nombres.

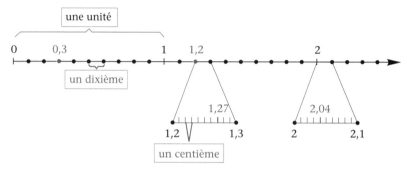

Les points (ronds) représentent le découpage de la droite en *dixièmes*. Les traits représentent le découpage de la droite en *centièmes*.

$\dfrac{5}{4} = 1{,}25$ est un nombre décimal limité, tandis que $\dfrac{5}{3} = 1{,}666\ 66...$

est un *nombre périodique* et n'est pas un nombre décimal. On peut écrire un nombre périodique en traçant un tiret au-dessus de la partie qui se répète infiniment : $1{,}\overline{6} = 1{,}666\ 666...$, $1{,}\overline{34} = 1{,}343\ 434...$ et $1{,}\overline{123} = 1{,}123\ 123\ 123...$

ADDITION ET SOUSTRACTION DE NOMBRES DÉCIMAUX

Pour additionner et soustraire deux nombres décimaux, il faut aligner correctement les rangs correspondants : unités avec unités, dizaines avec dizaines, etc.

EXEMPLES : $2532{,}5 + 0{,}037 + 428 = ?$ $5371{,}3 - 0{,}128 = ?$

$$
\begin{array}{r}
2532{,}5 \\
+\quad\ \ 0{,}037 \\
+\ \ 428 \\
\hline
2960{,}537
\end{array}
\qquad
\begin{array}{r}
5371{,}3 \\
-\quad 0{,}128 \\
\hline
5371{,}172
\end{array}
$$

MULTIPLICATION DE DEUX NOMBRES DÉCIMAUX

Pour multiplier entre eux deux nombres à virgule, on effectue la multiplication comme s'il s'agissait de nombres entiers. Ensuite, on écrit une virgule au résultat de telle sorte qu'il y ait autant de chiffres après la virgule que dans les deux facteurs réunis.

EXEMPLE :

$24,51 \times 7,3 = ?$

Dans ce cas-ci, il y aura au résultat trois chiffres après la virgule.

$$
\begin{array}{r}
2451 \\
\times \quad 73 \\
\hline
7353 \\
17157 \\
\hline
178923
\end{array}
\longrightarrow 178,923
$$

Il est conseillé d'estimer le résultat avant de résoudre l'opération.

DIVISION DE DEUX NOMBRES DÉCIMAUX

1er cas : diviseur entier
EXEMPLE :

$$
\begin{array}{r}
462,65 \ \lfloor \underline{5} \\
-45 \qquad 92,53 \\
\hline
12 \\
-10 \\
\hline
2\ 6 \\
-2\ 5 \\
\hline
15 \\
-15 \\
\hline
0
\end{array}
$$

Dans ce cas, il faut écrire une virgule au quotient avant d'abaisser le premier chiffre décimal. Il est conseillé de commencer par estimer le résultat.

2e cas : diviseur à virgule
EXEMPLE :

$84 : 1,5 = ?$

$10 \times \quad 10 \times$

$840 : 15$

$$
\begin{array}{r}
840 \ \lfloor \underline{15} \\
-75 \qquad 56 \\
\hline
90 \\
-90 \\
\hline
0
\end{array}
$$

Dans ce cas, on rend le diviseur entier en multipliant le diviseur et le dividende tous deux par 10 (ou par 100).

On dit qu'un quotient est exact lorsque la division ne comprend plus de reste.

Un **quotient** est **approché** au millième près si l'on arrête la division quand il y a 3 chiffres décimaux au quotient.

nombre entier

Les **nombres entiers** sont les nombres *naturels* et leurs *opposés*:

$^-15, ^-14, ^-13,..., ^-3, ^-2, ^-1, 0, 1, 2,...$

Les nombres $^-15, ^-14, ^-13,..., ^-3, ^-2, ^-1$ sont des **nombres entiers négatifs**, tandis que 1, 2, 3 sont des **nombres entiers positifs**.

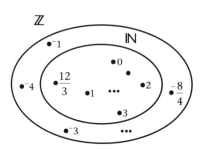

0 n'est ni positif, ni négatif.

L'ensemble des nombres entiers est l'ensemble ℤ. L'ensemble ℕ des nombres naturels est inclus dans ℤ.

nombre fractionnaire

Un **nombre fractionnaire** est un nombre composé d'un nombre entier accompagné d'une fraction.

EXEMPLE:

$6\frac{1}{8}$, $300\frac{1}{4}$, $12\frac{1}{2}$ sont des nombres fractionnaires.

nombre impair

Les **nombres impairs** sont les nombres entiers (positifs ou négatifs) qui ne sont pas multiples de 2. Ainsi, 1, 3, 5, 7,..., 21, 23, 25, 27,... sont des nombres impairs, mais aussi $^-1, ^-3, ^-5, ^-7, ...$

nombre irrationnel

Les **nombres irrationnels** sont les nombres qui ne peuvent s'écrire sous la forme d'un rapport de deux nombres entiers. Pi (π), $\sqrt{2}$, $3\sqrt{5}$ sont des nombres irrationnels. L'ensemble des nombres irrationnels est noté ℚ'.

nombre naturel

Les **nombres naturels** sont les nombres avec lesquels on compte, on dénombre les objets dans la vie courante.

0, 1, 2, 3, 4, 5, 6, 7, 8,..., 32, 33, 34, 35,...

L'ensemble des nombres naturels est noté ℕ.

nombre négatif → *nombre entier*

nombre pair

Un **nombre pair** est un nombre entier multiple de 2. Ainsi, 0, 2, 4, 6, 8, 10, 12,..., 32, 34, 36, 38,... sont des nombres pairs, mais aussi ⁻2, ⁻4,...

nombre périodique

Un **nombre périodique** est un nombre à virgule où les mêmes chiffres reviennent sans cesse dans le développement, et dans le même ordre.

EXEMPLES :

$\dfrac{1}{3}$ = 0,333 333 33... (La période est 3.)

$\dfrac{14}{11}$ = 1,272 727 27... (La période est 27.)

La période ne commence pas toujours tout de suite après la virgule de cadrage (nombre périodique mixte).

EXEMPLE :

$\dfrac{47}{6}$ = 7,166 666 6...

Dès que le dénominateur d'une fraction irréductible contient autre chose que 2 et 5 dans sa décomposition en *facteurs premiers*, cette fraction donne lieu à un développement périodique : $\dfrac{2}{7}$, $\dfrac{5}{6}$, $\dfrac{1}{30}$,...

Un nombre périodique s'écrit généralement avec un trait au-dessus de la période pour indiquer que les chiffres de la période se répètent à l'infini :

$7,1\overline{6}$ = 7,166 666...

nombre positif → *nombre entier* et *nombre naturel*

nombre premier

Un **nombre premier** est un nombre naturel supérieur ou égal à 2 qui possède exactement deux *diviseurs* : 1 et lui-même.

EXEMPLES :

> 19 est un nombre premier (2 diviseurs : 1 et 19) ;
> 2 est un nombre premier (2 diviseurs : 1 et 2).

MAIS : 4 n'est pas premier (3 diviseurs : 1, 2 et 4) ;
> 1 n'est pas premier (un seul diviseur : 1) ;
> 0 n'est pas premier (il possède une infinité de diviseurs).

Les nombres premiers inférieurs à 100 sont :

2, 3, 5, 7, 11, 13, 17, 19, 23, 29, 31, 37, 41, 43, 47, 53, 59, 61, 67, 71, 73, 79, 83, 89, 97.

Des nombres **premiers entre eux** sont des nombres qui ont 1 comme seul *diviseur commun*.

EXEMPLE : 15 et 16.

nombre rationnel

Un **nombre rationnel** est un nombre qui peut s'écrire sous la forme d'un *rapport* entre deux nombres entiers (le deuxième nombre étant différent de zéro).

EXEMPLES :

$0{,}3 \ (= \dfrac{3}{10})$

$25 \ (= \dfrac{25}{1})$

$2{,}25 \ (= \dfrac{9}{4})$

$0{,}666\ 666... \ (= \dfrac{2}{3})$

Écriture décimale

Écriture fractionnaire

L'ensemble des nombres rationnels se nomme ℚ. Il contient les ensembles ℕ et ℤ.

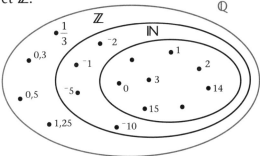

. . . .

nombre réel*

Les **nombres réels** sont tous les nombres de la droite des nombres, y compris les nombres irrationnels qui, comme pi (π) ou $\sqrt{2}$, ne peuvent pas s'écrire sous la forme d'un rapport entre deux nombres entiers.

L'ensemble des nombres réels se note ℝ. Il contient les ensembles ℕ, ℤ, ℚ et l'ensemble ℚ'.

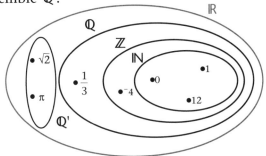

. . . .

nombre triangulaire

Nombre qu'on peut représenter par des ensembles de points répartis sur un triangle équilatéral ou par une suite de triangles équilatéraux.
EXEMPLE:

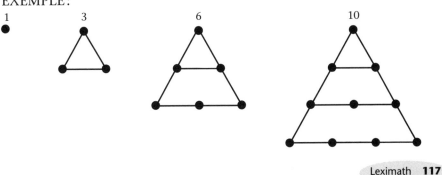

notation développée n. f.

Représentation d'un nombre à l'aide des valeurs de position.

EXEMPLE :

452 = (4 × 100) + (5 × 10) + (2 × 1)

numérateur n. m.

Le numérateur d'une fraction est le terme situé au-dessus de la barre de fraction : 3 est le numérateur de la fraction $\frac{3}{4}$.

Voir aussi *fraction*.

oblique adj.

Si une *droite* coupe une autre droite ou un *plan* sans lui être *perpen-*

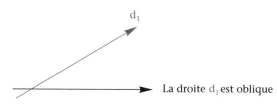

La droite d_1 est oblique

diculaire, on dit que cette droite est **oblique**.

Voir aussi *prisme*.

obtus, use adj. → *angle*

obtusangle adj.

Un triangle **obtusangle** est un triangle qui a un angle obtus.

Voir aussi *triangle*.

octaèdre n. m.

Polyèdre à 8 faces. → *polyèdre*

octogone n. m.

Polygone à 8 côtés. → *polygone*

opérateur n. m.

Un **opérateur** est un *symbole*, ou un groupe de symboles, qui transforme un nombre en un autre nombre par un traitement mathématique.

EXEMPLES :
$5 + 3 = 8$ L'opérateur est $+ 3$.
$7 \times 4 = 28$ L'opérateur est $\times 4$.

opération n. f.

Une **opération** est une *règle* qui, à deux éléments donnés (souvent des nombres), en associe un troisième, le résultat de l'opération. L'addition, la soustraction, la multiplication et la division sont les quatre opérations de base en mathématique.

EXEMPLES :

$6 + 2 = 8$

Addition

$15 - 7 = 8$

Soustraction

$15 \times 4 = 60$
$15 \bullet 4 = 60$

Multiplication

$10 \div 5 = 2$

Division

opération inverse

Deux **opérations** sont **inverses** si les effets de l'une annulent les effets de l'autre.

EXEMPLES :

L'addition et la soustraction sont des opérations inverses.
$10 + 2 = 12$ $12 - 2 = 10$

La multiplication et la division sont des opérations inverses.
$6 \times 3 = 18$ $18 \div 3 = 6$

opposé, ée adj.

1. Des nombres sont **opposés** si leur somme est zéro.

   EXEMPLES :
   4 et ⁻4 sont des nombres opposés, car 4 + ⁻4 = 0.
   ⁻15 est l'opposé de 15, car ⁻15 + 15 = 0
   0 est son propre opposé, car 0 + 0 = 0

2. Deux *angles* sont **opposés** par le sommet s'ils ont le même *sommet* et si les *côtés* de l'un sont le prolongement des côtés de l'autre. Des angles opposés par le sommet sont *congrus*.

   m ∠ AOB = m ∠ COD

   m ∠ AOC = m ∠ BOD

ordinal n. m.

L'**ordinal** d'un nombre, c'est la place qu'il occupe dans la suite des nombres, et notamment sur la droite des nombres.

EXEMPLE :

Le nombre 4 (le quatrième nombre naturel après zéro) est inférieur au nombre 5.

3 < 4 < 5 < 6 < 7

On oppose l'ordinal au *cardinal* qui, lui, représente l'aspect « quantité » du nombre : « une table à 4 pieds ».

AUTRE EXEMPLE :

                ordinal   cardinal

                   ↑   ↑

Antoine est le 3e enfant d'une famille de 4.

ordinogramme n. m.

Un **ordinogramme** est la transcription d'un *algorithme* sous une forme schématique.

ordonnée n. f. → *diagramme à ligne brisée* et *coordonnées*

ordonner v.

Placer des objets ou des nombres suivant un ordre préétabli.

ordre n. m.

$8 > 7 > 6$

EXEMPLES :

Les relations «... est supérieur ou égal à...», «... est au moins aussi lourd que...», «... est diviseur de...» sont des relations d'ordre.

1. Un **ordre** est dit **croissant** si les nombres sont disposés du plus petit au plus grand. On peut utiliser le symbole < (se lit « est inférieur à », « est plus petit que ») pour représenter ce type d'ordre. Les nombres suivants sont placés par ordre croissant : $^-2$, 0, 2, 3, 6, 8, 10, 11. On peut écrire que $^-2 < 0 < 2 < 3 < 6 < 8 < 10 < 11$.

2. Un **ordre** est dit **décroissant** si les nombres sont disposés du plus grand au plus petit. On peut utiliser le symbole > (se lit « est supérieur à », « est plus grand que ») pour représenter ce type d'ordre. Les nombres suivants sont placés par ordre décroissant : 8, 5, 4, 2, $\frac{1}{2}$, $\frac{1}{4}$, 0, $^-1$, $^-6$. On peut écrire que $8 > 5 > 4 > 2 > 0 > {^-1} > {^-6}$.

3. Dans un *réseau*, l'**ordre** représente le nombre de *nœuds* de ce réseau.

Voir aussi *inégalité*.

orienté, ée adj. → *droite* et *réseau*

origine n. f. → *diagramme à ligne brisée* et *demi-droite*

orthogonal, le* adj.

Orthogonal signifie « perpendiculaire ». Des droites peuvent être orthogonales, des plans peuvent être orthogonaux.

Symétrie orthogonale → *symétrie*

Projection orthogonale → *projection*

orthographe n. f. → *règles d'orthographe*

ouvert, te adj.

1. Une figure **ouverte** est une figure qui ne contient aucun point de sa *frontière*.

2. Un réseau **ouvert** est un réseau qui comprend au moins un *nœud terminal*.

pair, re adj. → *nombre pair*

paire n. f.

Ensemble qui possède 2 éléments. → *cardinal*

paire ordonnée

Une **paire ordonnée** est un ensemble de deux éléments appelé *couple*. L'ordre dans lequel ils sont écrits doit être considéré. Le point (a, b) est différent du point (b, a).

parallèle adj.

Des lignes **parallèles** sont des lignes qui gardent toujours le même écartement entre elles.

En particulier, des **droites parallèles** sont des droites d'un même plan qui ne se traversent jamais : soit que leur intersection est vide, soit qu'elles sont confondues.

Lignes parallèles

Droites parallèles **disjointes**   Droites parallèles **confondues**

Voir aussi *sécant* et *diagramme de Venn*.

parallélépipède n. m.

Le **parallélépipède** est un *polyèdre* à 6 faces dont chacune des faces est un parallélogramme. Les faces opposées sont congruentes et parallèles entre elles.

EXEMPLE:

Ce parallélépipède est en fait un prisme oblique à base rectangulaire.

Un parallélépipède dont toutes les faces sont des rectangles est un **parallélépipède rectangle**.

Formule du volume du parallélépipède rectangle $\boxed{L \times l \times h}$

(N.B. *l*: largeur ou profondeur.)

Origine de la formule: (voir *volume*)

Application de la formule

hauteur *h*   largeur *l*

longueur *L*

Volume
= 5 cm × 2 cm × 3 cm
= 30 cm³

Exemple de *développement* du parallélépipède rectangle:

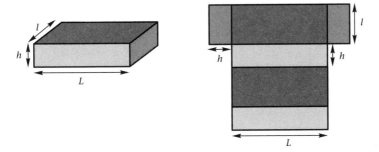

....

parallélisme n. m.

Le **parallélisme** est l'état de ce qui est *parallèle*. On utilise le symbole ∥ (se lit «est parallèle à») pour désigner deux *droites* parallèles.

parallélogramme n. m.

Un **parallélogramme** est un *quadrilatère* dont les côtés opposés sont parallèles.

Les propriétés du parallélogramme sont les suivantes :

- Les côtés opposés sont de même longueur.

- Les angles opposés ont même mesure.

- Les diagonales se coupent en leur milieu.

- Il possède un *centre de symétrie* mais, en général, il ne possède pas d'axe de symétrie.

p

Formule d'aire $b \times h$

Origine de la formule

Application de la formule

Transformation en un *rectangle* de même aire dont les dimensions sont *b* et *h*.

aire $= 9 \text{ cm} \times 3 \text{ cm}$
$= 27 \text{ cm}^2$

parenthèse n. f.

Les **parenthèses** sont des symboles servant à regrouper des *opérations*. Elles permettent de déterminer un certain ordre dans les opérations à effectuer.

EXEMPLES :

$$4 + 2 (3 + 2) - 5 = 9$$

$$3 (2 - 1) + 4 (5 + 2) = 31$$

Les **parenthèses** servent également à regrouper les deux éléments d'un *couple*.

partage n. m.

Un **partage** se dit, par exemple, de l'axe de symétrie lorsqu'il divise une figure en deux parties congruentes. Division en plusieurs parts.

EXEMPLE :

Le **partage** d'une tarte en n portions.

partie n. f.

Sous-ensemble. → *inclusion*

P

partie équivalente

Une **partie équivalente** représente une même valeur.

EXEMPLE :

La tarte est partagée en quatre parties équivalentes signifie que chaque morceau équivaut au quart de la tarte.

Cet héritage est partagé en cinq parties équivalentes signifie que la somme de l'héritage est divisée en cinq parts égales.

partition n. f.

Une **partition** est un découpage d'un ensemble en *sous-ensembles* qui vérifie trois conditions :

- Aucun sous-ensemble ne peut être vide.

- Deux sous-ensembles quelconques doivent toujours être disjoints.

- La *réunion* des sous-ensembles doit être l'ensemble de départ.

EXEMPLE :

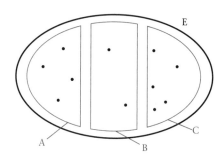

$\{A, B, C\} = P_1 (E)$

(L'ensemble des parties A, B et C est une partition de l'ensemble E.)

AUTRE EXEMPLE :

Les ♥, les ♦, les ♠ et les ♣ dans un jeu de 52 cartes (sans joker).

patron n. m. → *développement*

pattern n. m. → *régularité*

pentadécagone n. m.

Polygone à 15 côtés. → *polygone*

pentagone n. m.

Polygone à 5 côtés. → *polygone*

pente n. f.

La **pente** d'une route ou d'un terrain est son inclinaison par rapport à l'horizontale. Elle s'exprime en pourcentage.

12 cm

100 cm

$$\text{Pente} = \frac{12 \text{ cm}}{100 \text{ cm}} = 12\,\%.$$

périmètre n. m.

Le **périmètre** d'une figure géométrique plane fermée, c'est la longueur de son contour.

EXEMPLES :

Périmètre du carré = $4 \times c$.

Périmètre du rectangle = $2 \times (L + l)$.

Périmètre du cercle = $2\,\pi \times r$.

Périmètre des polygones réguliers = $n \times c$, où n est le nombre de côtés.

périodique adj. → *nombre périodique*

permutation n. f.

Permuter des éléments, c'est changer leur ordre de présentation :

| 3, 1, 6 |, | 3, 6, 1 |, | 1, 3, 6 |, | 6, 3, 1 |, | 1, 6, 3 |, | 6, 1, 3 |

sont six permutations des chiffres 1, 3 et 6.

Il y a $n!$ permutations possibles ou n est le nombre d'éléments à permuter.

Voir aussi *factorielle*.

perpendiculaire adj.

Des lignes **perpendiculaires** sont des lignes qui se coupent à *angle droit*. Deux **droites perpendiculaires** forment 4 angles droits.

Droites perpendiculaires   Côtés perpendiculaires   Faces perpendiculaires

Parfois, il faut prolonger un segment ou une face pour vérifier la perpendicularité. Le symbole de la perpendicularité est ⊥. En effet, si l'on écrit $\overline{AB} \perp \overline{CD}$, cela signifie que le segment AB est perpendiculaire au segment CD.

perte n. f. → *bénéfice*

PGCD n. m.

Le **PGCD** (plus grand commun diviseur) de deux nombres est le plus grand des *diviseurs communs* à ces deux nombres.

EXEMPLES :

- Diviseurs de 12 : 1, 2, 3, 4, 6, 12.

- Diviseurs de 18 : 1, 2, 3, 6, 9, 18.

Les nombres 12 et 18 ont comme PGCD le nombre 6.

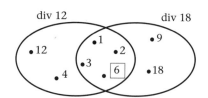

EXEMPLE :

Recherche du PGCD de 140 et 120 :

$140 = 2 \times 2 \times 5 \times 7$
$120 = 2 \times 2 \times 2 \times 3 \times 5$

2   2   5

Le PGCD de 120 et 140 est
$2 \times 2 \times 5 = 20$.

pi

Le nombre pi ($\pi = 3{,}141\ 59\ldots$) est le rapport entre la *circonférence* d'un cercle et son *diamètre* : $\pi = \dfrac{c}{d}$.

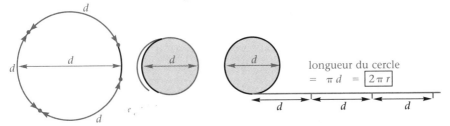

Le diamètre est contenu un peu plus de 3 fois dans le cercle (π fois, ou environ 3,14 fois).

Si on « déroule » le cercle, sa longueur vaut un peu plus que 3,14 fois le diamètre, c'est-à-dire π fois le diamètre.

Voir aussi *disque*.

pictogramme n. m.

Un **pictogramme** est un diagramme dans lequel les valeurs de chacune des variables sont représentées à l'aide de symboles imagés.

La signification de ces symboles est donnée dans une légende.

EXEMPLE :

pied à coulisse n. m.

Instrument qui sert à mesurer des diamètres et des épaisseurs.

plan n. m.

Un **plan** est une surface qui est *illimitée* de tous côtés.

Comme une *droite*, un plan n'existe pas dans la réalité : seule notre imagination peut faire exister un plancher ou un mur parfaitement lisses qui ne s'arrêteraient d'aucun côté.

plan cartésien

Un **plan cartésien** est une surface plane délimitée par deux droites perpendiculaires.

Ces droites, nommées axes, sont orientées et graduées.

Voir aussi *coordonnées cartésiennes* et *quadrant*.

plan de symétrie

Plan qui partage un solide en deux parties *congruentes* qui sont l'image l'une de l'autre par réflexion.

EXEMPLE :

plat, plate adj. → *angle*

plein, pleine adj. → *angle*

plus adv.

Le symbole **plus** (+) est utilisé pour signifier une *addition*. On utilise aussi ce symbole pour désigner un nombre *positif*.

$$5 + 8 = 13$$

symbole de l'addition (se lit «plus»)

poids n. m. → *masse*

point n. m.

1. Un **point** est une *figure géométrique* sans dimension. Deux *droites* distinctes se coupent en un point.
2. Mot qui désigne un nœud dans un réseau.

Point d'intersection → *nœud d'intersection*
Point de relais → *nœud de relais*
Point terminal → *nœud terminal*

Voir aussi *dimension* et *figure géométrique*.

polyèdre n. m.

Un **polyèdre** est un solide qui n'est limité que par des polygones plats : les *cubes*, les *parallélépipèdes rectangles*, les *pyramides* sont des polyèdres, mais les *cylindres*, les *cônes*, les *sphères* ne sont pas des polyèdres.

Les polygones plats s'appellent des **faces**. L'intersection de deux faces est une **arête**.

Un **polyèdre régulier** a toutes ses faces congruentes et les angles entre deux faces sont congrus. Il n'en existe que cinq :

Tétraèdre régulier
(4 triangles équilatéraux)

Octaèdre régulier
(8 triangles équilatéraux)

Cube
(6 carrés)

Dodécaèdre régulier
(12 pentagones réguliers)

Icosaèdre régulier
(20 triangles équilatéraux)

polyèdre convexe

Un **polyèdre convexe** est un polyèdre dont tout segment de droite joignant deux sommets non consécutifs appartient au polyèdre.

Polyèdre convexe   Polyèdre non convexe

polygone n. m.

Un **polygone** est une surface plane fermée limitée uniquement par des *segments* de droite.

polygone
non convexe

Un polygone à   3   côtés est un **triangle**.
Un polygone à   4   côtés est un **quadrilatère**.
Un polygone à   5   côtés est un **pentagone**.
Un polygone à   6   côtés est un **hexagone**.
Un polygone à   7   côtés est un **heptagone**.
Un polygone à   8   côtés est un **octogone**.
Un polygone à   9   côtés est un **ennéagone**.
Un polygone à 10   côtés est un **décagone**.
Un polygone à 12   côtés est un **dodécagone**.
Un polygone à 15   côtés est un **pentadécagone** (ou pentédécagone).

Un **polygone régulier** est un polygone dont tous les côtés et tous les angles sont congrus. Un **polygone irrégulier** est un polygone qui n'est pas régulier.

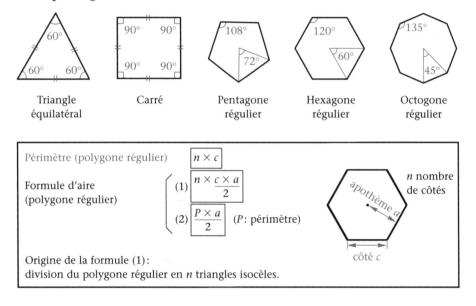

| Triangle équilatéral | Carré | Pentagone régulier | Hexagone régulier | Octogone régulier |

Périmètre (polygone régulier) $\boxed{n \times c}$

Formule d'aire (polygone régulier)

(1) $\dfrac{n \times c \times a}{2}$

(2) $\dfrac{P \times a}{2}$ (P: périmètre)

n nombre de côtés

apothème a

côté c

Origine de la formule (1): division du polygone régulier en n triangles isocèles.

Un **polygone concave** (ou non convexe) est un polygone qui possède au moins un angle intérieur dont la mesure est supérieure à 180° (angle rentrant), et dont au moins une diagonale joignant deux sommets non consécutifs passe à l'extérieur du polygone.

Hexagone concave   Pentagone concave

Un **polygone convexe** est un polygone dont tous les angles intérieurs ont une mesure inférieure à 180° (angle saillant).

La somme des angles intérieurs d'un polygone à n côtés est égale à $(n - 2)\,180°$.

Voir aussi *carré, hexagone, triangle.*

population n. f.

En statistique, une **population** est un ensemble d'observations ou de mesures ayant une caractéristique commune.

positif, ive adj. → *nombre entier* et *nombre naturel*

position n. f.

Le système de numération décimale est un système de numération positionnelle.

Il utilise 10 symboles (les chiffres) et la valeur d'un chiffre dans un nombre dépend de sa position dans ce nombre.

Voici une partie du tableau des positions du système décimal.

TABLEAU DES POSITIONS								
Dizaines de mille	Unités de mille	Centaines	Dizaines	Unités	,	Dixièmes	Centièmes	Millièmes
3	1	8	4	6	,	2	5	7

Dans le nombre 31 846,257 : le chiffre 1 est à la position des unités de mille et sa valeur est de 1000 unités, le chiffre 2 est à la position des dixièmes et sa valeur est de 2 dixièmes d'unités.

Voir aussi *chiffre, valeur de position, système de numération.*

postulat n. m.

Un **postulat** est une supposition (proposition admise sans preuve) qu'il faut admettre pour établir une démonstration.

pourcentage n. m.

Un **pourcentage** est une fraction dont le dénominateur est 100.

Le symbole % se lit «pour cent» et signifie « $\times \dfrac{1}{100}$ »

EXEMPLE :

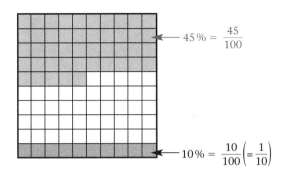

$$45\% = \frac{45}{100}$$

$$10\% = \frac{10}{100}\left(= \frac{1}{10}\right)$$

$$\frac{3}{4} = \frac{75}{100} = 75\%$$

Représentation des principaux pourcentages :

100 %

75 %

50 %

25 %

10 %

$$= 1$$

$$= \frac{3}{4}$$

$$= \frac{1}{2}$$

$$= \frac{1}{4}$$

$$= \frac{1}{10}$$

Transformation d'une fraction en pourcentage :

$$\frac{1}{20} = \frac{1 \times 5}{20 \times 5} = \frac{5}{100} = 5\%$$

$$\frac{4}{5} = \frac{4 \times 20}{5 \times 20} = \frac{80}{100} = 80\%$$

Calcul d'un pourcentage : 35% de 200 kg $= \dfrac{35 \times 200 \text{ kg}}{100} = 70$ kg

PPCM

Le **PPCM** (ou plus petit commun *multiple*) de deux nombres est le plus petit des multiples (différent de zéro) commun à ces nombres.

Par exemple, 12 est le plus petit multiple commun à 4 et à 6.

Multiples de 4 → 0, 4, 8, 12, 16, 20,...
Multiples de 6 → 0, 6, 12, 18, 24, 30,...

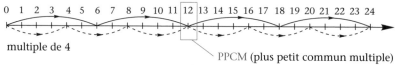

multiple de 6

multiple de 4

PPCM (plus petit commun multiple)

Voir aussi *multiple commun*.

Pour la recherche par calcul du PPCM, voir *dénominateur commun*.

premier, ière adj. numér. → *nombre premier* et *facteur*

preuve n. f.

Vérification de l'exactitude d'une opération que l'on a effectuée.

priorité n. f.

La règle de **priorité** dans les opérations veut que, dans une expression mathématique, certaines opérations soient effectuées avant d'autres.

En particulier :

priorité 1		priorité 2		priorité 3
les exponentiations (puissance)	puis →	les multiplications et les divisions	puis →	les additions et les soustractions

EXEMPLE :

Lorsqu'on veut modifier l'ordre de priorité, il faut écrire des parenthèses. Cependant, pour la facilité de lecture, il est conseillé d'écrire des parenthèses, même quand elles ne sont pas indispensables.

Voir aussi *accolade, crochet, parenthèse*.

prisme n. m.

Le **prisme** est un *polyèdre* limité par deux *polygones* parallèles et congrus liés entre eux par des *parallélogrammes*.

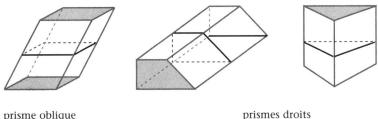

prisme oblique   prismes droits

Dans un **prisme droit**, les arêtes qui relient les deux bases sont perpendiculaires aux bases. Dans le cas contraire, on parle de **prisme oblique**.

Dans un **prisme** (droit) **régulier**, les bases sont des *polygones réguliers*.

base

Formule du volume

$$V = \text{aire de base} \times h$$

hauteur h

Selon la forme de leur base, les prismes portent des noms particuliers. On parle donc de **prismes triangulaires, rectangulaires, pentagonaux, hexagonaux**, etc.

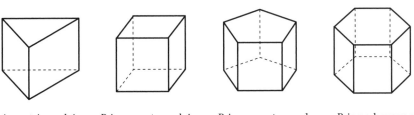

Prisme triangulaire   Prisme rectangulaire   Prisme pentagonal   Prisme hexagonal

probabilité n. f.

Une **probabilité** est le rapport entre le nombre de cas favorables et le nombre de cas possibles d'une **expérience** dite **aléatoire** (expérience dont le résultat est déterminé par le *hasard*).

EXEMPLES :

- La probabilité de tirer un roi de cœur d'un jeu de cartes sans joker est $\frac{1}{52}$ parce que le nombre de cas favorables est 1 (il n'y a qu'un seul roi de cœur dans un jeu de cartes) et que le nombre de cas possibles est 52 (il y a 52 cartes en tout).

- La probabilité d'obtenir un nombre impair en lançant un dé est $\frac{3}{6}$ parce que le nombre de cas favorables est 3 (les nombres impairs d'un dé sont 1, 3 et 5) et que le nombre de cas possibles est 6 (il y a 6 nombres sur un dé).

produit n. m.

Le **produit** est le résultat d'une multiplication de deux ou plusieurs nombres appelés *facteurs*.

EXEMPLE :
$6 \times 9 = 54$
54 est le produit des facteurs 6 et 9.

Lorsqu'il y a un nombre impair de facteurs négatifs, le produit est négatif. Lorsqu'il y a un nombre pair de facteurs négatifs, le produit est positif.

EXEMPLES :
$6 \times (^-9) = {}^-54$
$2 \times 2 \times (^-2) \times (^-2) \times (^-2) = {}^-32$
$(^-2) \times (^-2) \times (^-2) \times (^-2) = 16$

produit cartésien

Le **produit cartésien** de deux ensembles est l'ensemble de tous les couples dont l'origine appartient à l'ensemble de départ et l'extrémité appartient à l'ensemble d'arrivée. Le produit cartésien des ensembles A et B est noté A $\times$ B.

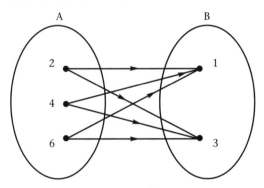

A = {2, 4, 6}   B = {1, 3}
A $\times$ B = {(2, 1), (2, 3), (4, 1), (4, 3), (6, 1), (6, 3)}

p

progression n. f.

1. Une **progression arithmétique** est une *suite* dans laquelle chaque terme est égal au précédent augmenté d'une quantité constante (appelée *raison*).

   EXEMPLE :

2. Une **progression géométrique** est une *suite* dans laquelle chaque terme est égal au précédent multiplié par une quantité constante.

   EXEMPLE :   1   2   4   8   16   32
                    2 ×   2 ×   2 ×   2 ×   2 ×

projection n. f.

Une **projection parallèle** sur une droite est une *transformation géométrique* dans laquelle chaque point est envoyé sur la droite dans une *direction* donnée au départ (différente de celle de la droite).

Projection sur D
parallèle à A

Dans une **projection orthogonale**, les points sont envoyés sur la droite D perpendiculairement à celle-ci.

proportion n. f.

Une **proportion** est une égalité entre deux rapports. Dans une proportion $\frac{a}{b} = \frac{c}{d}$, les termes a et d sont appelés les **extrêmes**, tandis que les termes b et c sont appelés les **moyens**. Dans toute proportion, le produit des extrêmes est égal au produit des moyens.

EXEMPLE :

Soit la proportion $\frac{4}{9} = \frac{12}{27}$. On a alors $4 \times 27 = 108$ (le produit des extrêmes) et $9 \times 12 = 108$ (le produit des moyens).

Voir aussi *rapport*.

proportionnel, elle adj.

1. Deux grandeurs sont dites *proportionnelles* si, quand l'une devient deux fois, trois fois,..., plus grande, l'autre devient aussi deux fois, trois fois,..., plus grande (et vice versa).

EXEMPLES:

- Le prix P payé pour des sachets de café est proportionnel au nombre n de sachets de café.

$$P = n \times 5$$

- La longueur du cercle est proportionnelle au diamètre: pour un diamètre cinq fois plus grand qu'un diamètre donné, la longueur du cercle sera cinq fois plus grande.

2. Deux grandeurs sont **inversement proportionnelles** si, quand l'une devient deux fois, trois fois,..., plus grande, l'autre devient deux fois, trois fois,..., plus petite.

EXEMPLE:

La longueur L et la largeur l de rectangles de même aire.

Voir aussi *constante* et *échelle*.

proposition n. f.

Une **proposition** est une affirmation dont on peut dire immédiatement si elle est vraie ou fausse.

EXEMPLE:
Il pleut dehors.
$2 + 2 = 4$; $3 + 5 = 10$ sont des propositions.
Pleut-il dehors? $4 + 3$ ne sont pas des propositions.

propriété n. f.

Une **propriété** d'une figure, d'un objet ou d'une relation est une des caractéristiques remarquables de cette figure, de cet objet ou de cette relation.

Les propriétés du carré sont qu'il possède 4 angles droits et 4 côtés congrus.

puissance n. f.

La **puissance** d'un nombre est le produit de plusieurs facteurs égaux à ce nombre.

$4^2 = 4 \times 4 \quad \rightarrow \quad$ 4 au carré
4 exposant deux

$4^2 = 4 \times 4 = 16$

16 est la 2e puissance de 4

$4^3 = 4 \times 4 \times 4 \quad \rightarrow \quad$ 4 au cube
4 exposant trois

$4^3 = 64$

64 est la 3e puissance de 4

Voir aussi *racine carrée* et *base de numération*.

p

pyramide n. f.

Une **pyramide** est un *polyèdre* muni d'une base polygonale, de faces latérales de forme triangulaire et de sommets. Chacun des sommets de la base est relié au sommet de la pyramide par une *arête* latérale. Une **pyramide régulière** est une pyramide dont les faces latérales sont *congruentes*.

sommet

arête latérale

base

Formule du volume

$$\frac{1}{3} \times \text{aire de la base} \times h$$

hauteur h

base

$\mathbb{Q}$

Ensemble des nombres rationnels. → *nombre rationnel*

$\mathbb{Q}'$

Ensemble des nombres irrationnels. → *nombre irrationnel*

quadrant n. m.

Un **quadrant** est une région du plan *cartésien* délimitée par 2 demi-droites. Un plan cartésien peut posséder quatre quadrants numérotés dans le sens contraire au parcours des aiguilles d'une montre.

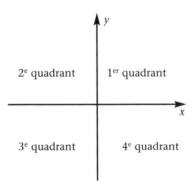

Dans le premier quadrant, les coordonnées d'un point sont positives $(+, +)$. Dans le deuxième quadrant, la première coordonnée d'un point est négative, tandis que la deuxième est positive $(-, +)$. Dans le troisième quadrant, les deux coordonnées d'un point sont négatives $(-, -)$. Dans le quatrième quadrant, la première coordonnée d'un point est positive, tandis que la deuxième est négative $(+, -)$.

Voir aussi *coordonnées cartésiennes*.

q

quadrilatère n. m.

Un **quadrilatère** est un *polygone* à 4 côtés.

La somme des angles intérieurs d'un quadrilatère est égale à 360°.

Organisation des quadrilatères :

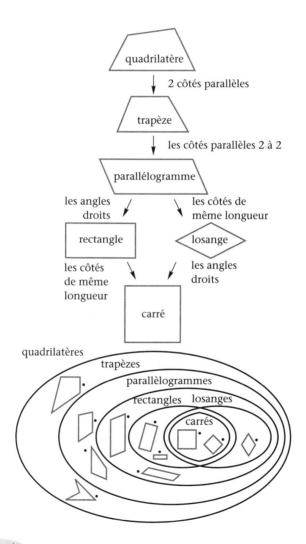

quantificateur* n. m.

Un **quantificateur** est un mot qui donne une indication sur la quantité. On en utilise deux principalement :

1. Le quantificateur existentiel ($\exists$). Exemple : «Il existe au moins un mammifère qui vit dans l'eau» (c'est-à-dire un, plusieurs, ou même tous).

2. Le quantificateur universel ($\forall$). Exemple : «Tous les insectes ont 6 pattes.»

quotient n. m.

Un **quotient** est le résultat d'une division.

EXEMPLES :

$72 \div 8 = 9$
9 est le quotient de 72 et de 8 (ou le quotient de 72 par 8).

$36 \div 5 \rightarrow$ quotient 7 reste 1
7 est le quotient entier de 36 et de 5, le reste (toujours inférieur au diviseur) de la division étant 1. Le **quotient exact** de 36 et de 5 est 7,2.

quotient approché → *nombre décimal*

IR

Ensemble des nombres réels. → *nombre réel*

racine carrée n. f.

La **racine carrée** d'un nombre x est un nombre qui, multiplié par lui-même, donne x. Cette valeur peut être positive ou négative. On utilise le symbole $\sqrt{}$ pour désigner la racine carrée positive d'un nombre.

EXEMPLES :

La racine carrée de 25 est 5 ou $^-5$ parce que $5^2 = 25$ et $(^-5)^2 = 25$.

$\sqrt{25} = 5$, parce que $5^2 = 25$.
$^-\sqrt{25} = ^-5$
$\sqrt{100} = 10$, parce que $10^2 = 100$.
$^-\sqrt{100} = ^-10$

raison n. f.

La **raison** d'une *suite* arithmétique est la *différence* entre deux termes *consécutifs* de cette suite.

0, 2, 4, 6, 8, 10,... est une suite arithmétique de raison 2, parce que la différence entre deux termes consécutifs est 2.

La raison d'une *suite géométrique* est le *quotient* de deux termes consécutifs de cette suite.

1, 3, 9, 27,... est une suite géométrique de raison 3, parce que le quotient entre deux termes consécutifs est 3.

Voir aussi *progression*.

rangée n. f → *colonne*

rapport n. m.

Un **rapport** est une comparaison que l'on fait entre deux quantités de même nature. C'est le *quotient* de ces deux quantités. Le rapport de a à b se note $\frac{a}{b}$ (ou $a \div b$ ou encore $a : b$).

Voir aussi *fraction*.

rapporteur d'angle n. m.

Un **rapporteur d'angle** est un instrument servant à mesurer des *angles*. Le rapporteur d'angle donne la mesure d'un angle en *degrés*.

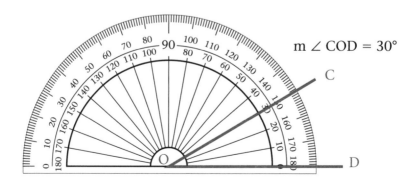

m ∠ COD = 30°

rationnel, elle adj. → *nombre rationnel*

rayon n. m.

Segment de droite joignant le centre à un point du *cercle*.
Longueur de ce segment.

Voir aussi *disque*.

recensement n. m.

Faire un **recensement**, c'est procéder à une étude sur *tous* les individus ou les éléments d'une population.

rectangle n. m.

Un **rectangle** est un *quadrilatère* qui a ses 4 *angles* droits.

Les propriétés du rectangle sont les suivantes :

- Toutes les propriétés du *parallélogramme*.
- Ses diagonales sont de même longueur.
- Ses médianes sont perpendiculaires.
- Ses médianes sont des axes de symétrie.

Périmètre : $2 \times (L + l)$
Formule d'aire : $(L \times l)$ ou $(b \times h)$

Origine de la formule   Application de la formule   longueur L ou base b largeur l ou hauteur h

3 cm

5 cm

aire = 5 cm × 3 cm
= 15 cm²

Voir aussi *aire* et *triangle*.

réduire une fraction → *simplifier*

réel, elle adj. → *nombre réel*

référentiel n. m.

Le **référentiel** est l'ensemble des objets ou des nombres auquel on se réfère; c'est l'ensemble de référence. Pour $\{x \in \mathbb{N} \mid x \geq 2\}$, le référentiel est l'ensemble des *nombres naturels* ($\mathbb{N}$).

réflexion n. f. → *symétrie orthogonale*

région n. f.

La **région** d'un *plan* est une portion de ce plan délimitée par une ligne simple et fermée appelée *frontière*.

Dans un *réseau*, on peut calculer le nombre de régions (R) déterminées par les nœuds (N) et les branches (B) en utilisant la *relation d'Euler* : R + N = B + 2

EXEMPLES :

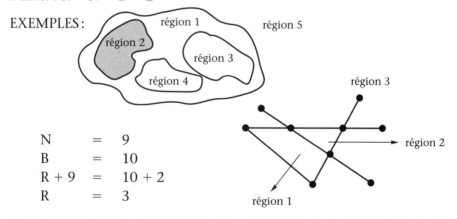

$$
\begin{aligned}
N &= 9 \\
B &= 10 \\
R + 9 &= 10 + 2 \\
R &= 3
\end{aligned}
$$

règle n. f.

Une **règle** est une convention ou un ensemble de conventions se rattachant à une opération quelconque.

règle de priorité → *priorité*

règles des signes*

Pour l'addition :

- Quand on additionne deux *nombres entiers positifs*, le résultat est un nombre positif : $\oplus + \oplus = \oplus$.
- Quand on additionne deux *nombres entiers négatifs*, le résultat est un nombre négatif : $\ominus + \ominus = \ominus$.
- Quand on additionne un nombre entier positif et un nombre entier négatif, le résultat est :
  - un nombre positif si le nombre positif est plus grand que la *valeur absolue* du nombre négatif : $\oplus + \ominus = \oplus$ si $\oplus > |\ominus|$;
  - un nombre négatif si la *valeur absolue* du nombre négatif est plus grande que le nombre positif : $\oplus + \ominus = \ominus$ si $|\ominus| > \oplus$.

Pour la soustraction :

La soustraction est l'*opération inverse* de l'addition, car soustraire un nombre entier d'un autre revient à additionner au premier l'opposé de l'autre.

EXEMPLES : $10 - 4 = 6 = 10 + (^-4)$
$5 - 6 = {}^-1 = 5 + (^-6)$

On peut donc appliquer à la soustraction les mêmes règles des signes que pour l'addition.

Pour la multiplication :

- Quand on multiplie deux nombres entiers positifs, le résultat est positif : $\oplus \times \oplus = \oplus$.
- Quand on multiplie deux nombres entiers négatifs, le résultat est positif : $\ominus \times \ominus = \oplus$
- Quand on multiplie deux nombres entiers, l'un positif et l'autre négatif, le résultat est négatif : $\oplus \times \ominus = \ominus$.

Pour la division :

Puisque la division est l'opération inverse de la multiplication, les règles des signes de la multiplication s'appliquent aussi à la division.

Voir aussi *addition, division, multiplication, soustraction.*

règles d'orthographe

1. Le mot de liaison « et » relie uniquement « vingt »
    « trente »
    « quarante » } à « un »
    « cinquante »
    « soixante »

    EXEMPLES :
    331 : trois cent trente et un ;
    21 : vingt et un.
    MAIS : 81 : quatre-vingt-un ;
            201 : deux cent un ;
            101 : cent un.

2. Le trait d'union relie entre eux uniquement les nombres inférieurs à cent.

    EXEMPLES :

    Quatre-vingt-un, trente-sept, quatre-vingt-dix-neuf.

    MAIS : cent deux, deux cent trois, mille vingt-cinq.

3. Vingt et cent se mettent au pluriel lorsqu'ils sont multipliés sans être suivis d'un autre nombre.

    EXEMPLES :

    Quatre-vingts pour cent, mille six cents habitants.

    MAIS : quatre-vingt-deux, trois cent sept.

4. Mille est invariable.

    EXEMPLE :

    Sept mille habitants.

réglette Cuisenaire

b : blanc (1 cm)
r : rouge (2 cm)
v : vert clair (3 cm)
R : Rose (4 cm)
j : jaune (5 cm)
V : Vert foncé (6 cm)
n : noir (7 cm)
m : marron (8 cm)
B : Bleu (9 cm)
o : orange (10 cm)

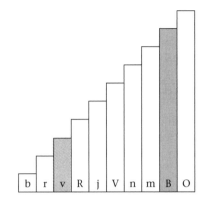

régularité   n. f.

La **régularité** est une caractéristique des *suites* arithmétiques ou géométriques. Cette caractéristique fait en sorte que l'on peut déduire chaque *terme* de la suite à partir d'une loi appelée règle de la suite. On utilise quelquefois le terme **pattern** au lieu de régularité; il est toutefois préférable de s'en tenir à régularité.

Voir aussi *progression*.

régulier, ière   adj. → *polygone* et *polyèdre*

relation   n. f.

Une **relation** entre deux objets, c'est un lien qui existe entre ces deux objets. Cette relation peut être décrite à l'aide d'un symbole ou d'un énoncé.

EXEMPLES :

Dans 1 ∈ IN le symbole ∈ décrit la relation d'appartenance qui relie 1 et IN.

Dans « 2 est plus petit que 3 » l'énoncé « …est plus petit que… » décrit une relation d'ordre entre 2 et 3.

r

relation d'Euler

1. La **relation d'Euler** est une formule mettant en relation les *sommets* (S), les *faces* (F) et les *arêtes* (A) d'un *polyèdre régulier*. Cette formule est : $S + F = A + 2$.

   EXEMPLE :

   $S = 5$
   $F = 5$
   $A = 8$

   $5 + 5 = 8 + 2$

2. Dans un *réseau connexe*, la relation d'Euler met en relation les *nœuds* (N), les *régions* (R) et les *branches* (B) : $N + R = B + 2$.

   EXEMPLE :

   $N = 9$
   $R = 3$
   $B = 10$

   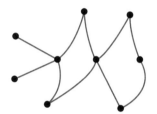

   $9 + 3 = 10 + 2$

---

rentrant, te adj. → *angle*

---

repérage n. m.

Dans le plan ou dans l'espace, le **repérage** est une opération qui consiste à déterminer d'une façon unique la position d'un *point* à l'aide d'une donnée d'éléments d'un repère de ce plan ou de cet espace.

Plan cartésien avec des axes perpendiculaires

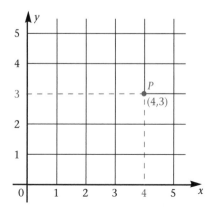

Plan cartésien avec des axes obliques

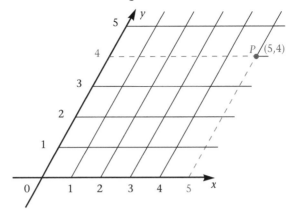

Plan cartésien de l'espace

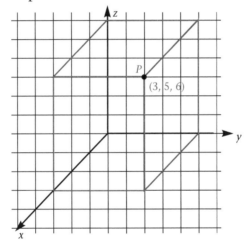

Plan de coordonnées polaires

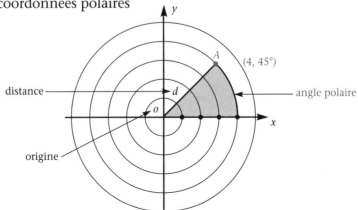

réseau n. m.

Un **réseau** est une représentation graphique formée de points reliés entre eux par des lignes. Les points d'un réseau se nomment *nœuds*, tandis que les lignes sont appelées chemins ou *branches*.

Les réseaux sont classés en fonction de l'arrangement des nœuds et des branches.

Un **réseau** est dit **cartésien** s'il est formé de deux ensembles de lignes orientées de telle sorte que toutes les lignes du premier ensemble coupent une seule fois toutes les lignes du deuxième ensemble.

EXEMPLE :

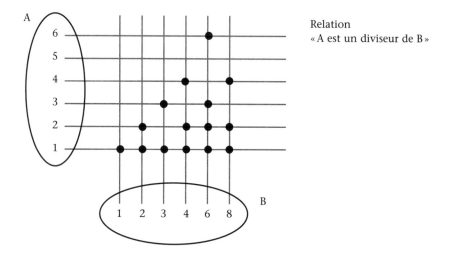

Relation
« A est un diviseur de B »

Un **réseau** est dit **connexe** s'il est possible de joindre toute paire de nœuds par une chaîne de branches du réseau.

EXEMPLE :

Réseau connexe

Réseau non connexe

Un **réseau** que l'on peut parcourir entièrement en passant une et une seule fois sur chaque branche (on peut passer par le même nœud plus d'une fois) porte le nom de **réseau économique** ou **eulérien**.

EXEMPLE :

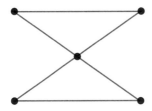

Réseau économique

On qualifie un **réseau** de **fermé** s'il n'y a aucun nœud terminal dans le réseau. Dans ce genre de réseau, tous les **nœuds** sont de degré supérieur à 1 (au moins deux branches sont issues d'un même nœud).

S'il existe au moins un nœud terminal dans le **réseau**, on qualifie celui-ci d'**ouvert**.

EXEMPLE :

Réseau fermé   Réseau ouvert

On dit d'un **réseau** qu'il est **simple** si chacun de ses nœuds est de degré inférieur à 3 (2 branches au plus sont issues d'un même nœud). Par contre, si au moins un des nœuds du réseau est de degré supérieur ou égal à 3 (au moins 3 branches sont issues du nœud), alors le **réseau** est dit **non simple**.

EXEMPLE :

Réseaux simples   Réseau non simple

Finalement, un **réseau** est dit **orienté** si chacune des branches qui le constitue est munie d'une flèche indiquant un sens.

EXEMPLE:

Voir aussi *degré* et *chemin*.

. . . .

résoudre v.

Trouver la solution d'un problème en utilisant les outils appropriés.

. . . .

reste n. m.

Un **reste** est la quantité qui reste à la suite de la division d'un nombre a par un nombre b. Par exemple, le reste de la division de 8 par 3 est 2 parce que:

$$\begin{array}{r|l} 8 & 3 \\ \hline -\,6 & 2 \\ \hline 2 & \end{array}$$

Voir aussi *modulo*.

. . . .

résultat n. m.

Le **résultat** est la solution d'un problème ou d'une opération.

EXEMPLE:

Le résultat de la multiplication de 3 par 4 est 12.

Le résultat d'une expérience aléatoire consiste à nommer les possibilités.

EXEMPLE:

Si on lance une pièce de monnaie, les résultats possibles sont *pile* ou *face*.

réunion n. f.

La **réunion** de deux ensembles A et B est l'ensemble des éléments qui appartiennent à A ou B, y compris les éléments qui appartiennent à A et à B. On le note A∪B (se lit «A union B»).

A = {a, b, c, d, e}

B = {e, d, f}

A ∪ B = {a, b, c, d, e, f}

A∪B

rotation n. f.

Une **rotation** est une *transformation géométrique* dans laquelle chaque point se déplace selon le même angle autour d'un point appelé **centre de la rotation.**

Rotation de 40° autour de C

L'angle de rotation est positif s'il est pris dans le sens contraire au parcours des aiguilles d'une montre.

 +20°

 −20°

Une rotation est une *isométrie*: elle conserve les distances.

scalène adj.

Un triangle **scalène** est un triangle qui a ses 3 côtés non congrus.

Voir aussi *triangle*.

r

sécant, te adj.

Des **droites sécantes** sont des droites qui se coupent en un point.

Bien qu'elles se coupent en dehors de la feuille, ces deux droites sont sécantes.

Quand deux droites d'un même plan ne sont pas sécantes, elles sont *parallèles*.

seconde n. f.

1. La **seconde** est une sous-unité de mesure d'angles. Elle vaut $\frac{1}{60}$ de **minute**. Le symbole «"» signifie «seconde».

Voir aussi *degré*.

2. La **seconde** est aussi une sous-unité de mesure de temps. Elle vaut $\frac{1}{60}$ de *minute*. Le symbole s signifie «seconde».

Voir aussi *temps*.

secteur angulaire* n. m.

Un **secteur angulaire** est une portion du plan limitée par deux droites sécantes. Un secteur angulaire est dit saillant s'il est limité par un angle dont la mesure est inférieure à 180°; il est dit rentrant s'il est limité par un angle dont la mesure est supérieure à 180°.

EXEMPLES :

Secteur angulaire saillant   Secteur angulaire rentrant

secteur circulaire*

Un **secteur circulaire** est une portion d'un *disque* comprise entre deux *rayons*. On peut calculer l'*aire* d'un secteur circulaire d'angle α (se lit «alpha») en utilisant la formule $A = \dfrac{m < \alpha}{360°} \times \pi r^2$, où r est le rayon du disque.

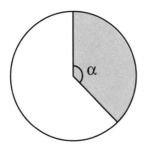

Secteur circulaire d'angle α

section n. f.

Quand on «coupe» un *prisme* droit perpendiculairement à une *arête* latérale, un *cylindre* droit ou un *cône* perpendiculairement à leur axe, la surface de coupe est une **section**.

segment de droite n. m.

Un **segment de droite** est une partie de *droite* limitée aux deux extrémités.

On le note $\overline{AB}$. On utilise souvent la notion de «longueur d'un segment», et son symbole est m $\overline{AB}$. On dira par exemple m $\overline{AB}$ = 2 cm.

semblable adj.

Deux **figures** sont dites **semblables** si l'une est un agrandissement ou une réduction de l'autre. Les côtés *homologues* de ces figures sont de longueur *proportionnelle*, tandis que les angles qui leur correspondent sont *congrus*.

Voir aussi *homothétie*.

sens n. m.

Le **sens** est l'orientation d'une droite.

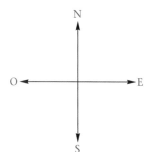

La direction nord-sud a deux sens : le sens nord et le sens sud.

SI (Système international d'unités de mesure)

Mesures	Unités	Symboles	Relations
Aire	kilomètre carré	km²	1 km² = 100 ha
	hectare	ha	1 ha = 10 000 m²
	décamètre carré	dam²	1 dam² = 100 m²
	mètre carré	m²	1 m² = 100 dm²
	décimètre carré	dm²	1 dm² = 100 cm²
	centimètre carré	cm²	1 cm² = 100 mm²
	millimètre carré	mm²	1 000 000 mm² = 1 m²
Angle	degré	°	1° = 60'
	minute	'	$1' = 60''$
	seconde	"	$1'' = \dfrac{1'}{60}$
	radian	rad	360° = 2π rad
Longueur	kilomètre	km	1 km = 1 000 m
	hectomètre	hm	1 hm = 100 m
	décamètre	dam	1 dam = 10 m
	mètre	m	1 m = 100 cm
	décimètre	dm	1 dm = 10 cm
	centimètre	cm	1 cm = 10 mm
	millimètre	mm	1 000 mm = 1 m

Mesures	Unités	Symboles	Relations
Masse	tonne kilogramme gramme milligramme	t kg g mg	1 t = 1 000 kg 1 kg = 1 000 g 1 g = 1 000 mg 1 000 mg = 1 g
Temps	année jour heure minute seconde	a d h min s	1 a = 365 jours 1 d = 24 h 1 h = 60 m 1 min = 60 s 3 600 s = 1 h
Volume d'un liquide	kilolitre litre décilitre centilitre millilitre	kl l dl cl ml	1 kl = 1 000 l 1 l = 10 dl 1 dc = 10 cl 1 cl = 10 ml 1 000 ml = 1 l
Volume d'un solide	kilomètre cube hectomètre cube décamètre cube mètre cube décimètre cube centimètre cube millimètre cube	km³ hm³ dam³ m³ dm³ cm³ mm³	$1 \text{ km}^3 = 1\,000 \text{ hm}^3$ $1 \text{ hm}^3 = 1\,000\,000 \text{ m}^3$ $1 \text{ dam}^3 = 1\,000 \text{ m}^3$ $1 \text{ m}^3 = 1\,000 \text{ dm}^3$ $1 \text{ dm}^3 = 1\,000 \text{ cm}^3$ $1 \text{ cm}^3 = 1\,000 \text{ mm}^3$ $1\,000\,000\,000 \text{ mm}^3 = 1 \text{ m}^3$

....

signe n. m. → *règles des signes*

....

simplifier v.

1. **Simplifier** ou **réduire** une *fraction*, c'est trouver une autre *fraction équivalente*, dont les termes sont plus petits.

   EXEMPLE: $\dfrac{20}{24} = \dfrac{4 \times 5}{4 \times 6} = \dfrac{5}{6}$ (division des deux termes par 4)

   Par contre, on ne peut pas faire $\dfrac{20}{24} = \dfrac{15}{15} + \dfrac{5}{9} = \dfrac{5}{9}$.

2. **Simplifier** une *équation*, c'est trouver une autre équation équivalente, mais plus simple à utiliser.

   EXEMPLES:

   $3x + 5 = 9y + 5 \Leftrightarrow 3x = 9y \Leftrightarrow x = 3y$

   $2x\,(3x + 1) = 2x\,(9y) \Leftrightarrow 3x + 1 = 9y \left.\right\}$ Seulement si x ≠ 0

   $\dfrac{3x + 1}{5} = \dfrac{9y}{5} \Leftrightarrow 3x + 1 = 9y$

   $x\,(3x + 1) = x\,(9y) \Leftrightarrow 3x + 1 = 9y \left.\right\}$ Seulement si x ≠ 0

singleton n. m.

Un **singleton** est un ensemble d'un seul élément.

Voir aussi *cardinal*.

solide n. m.

Un **solide** est une figure à trois *dimensions* de l'espace. On en distingue deux classes : les *corps ronds* (boule, cylindre, cône) et les *polyèdres* (cube, prisme, pyramide).

Voir aussi *convexe*.

solution n. f.

La **solution** d'un problème, c'est la démarche qui permet de résoudre ce problème. On emploie parfois le terme solution pour désigner la réponse à un problème.

somme n. f.

Une **somme** est le résultat d'une addition.

EXEMPLE :
5 + 3 = 8
8 est la somme de 5 et de 3.

sommet n. m.

Le plus souvent, un **sommet** est un point de jonction de côtés (*polygone, angle*) ou d'arêtes (*polyèdre*).

Voir aussi *pyramide*.

sondage n. m.

Un **sondage** est une opération statistique qui consiste à prélever un *échantillon* représentatif d'une population pour connaître l'opinion de la population ou pour recueillir de l'information sur une ou plusieurs caractéristiques.

sous-ensemble n. m.

Un *ensemble* A est un **sous-ensemble** de B si et seulement si tous les éléments de l'ensemble A appartiennent à l'ensemble B. On utilise le symbole $\subseteq$ ou $\subset$ pour désigner un sous-ensemble.

EXEMPLE :

Soit   A = {0, 2, 4}
et   B = {0, 2, 4, 6, 8}.
Alors,   A $\subseteq$ B (se lit « A est un sous-ensemble de B »).

Voir aussi *inclusion*.

soustraction n. f.

La **soustraction** est une des quatre opérations de base en arithmétique. Elle consiste à enlever à un premier nombre la valeur attribuée à un second nombre. Le résultat d'une soustraction se nomme la **différence**.

symbole de la soustraction (se lit « moins »)
symbole d'égalité (se lit « égale »)

$$8 - 3 = 5$$

terme terme différence

Voir aussi *opération*.

sphère n. f.

La **sphère** est le lieu de tous les *points* engendrés par la *rotation* d'un *cercle* autour de son *diamètre*. La sphère permet de calculer l'aire de la boule.

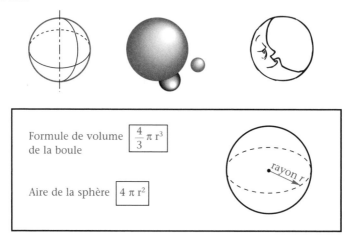

Formule de volume de la boule $\dfrac{4}{3}\,\pi\,r^3$

Aire de la sphère $4\,\pi\,r^2$

rayon r

Voir aussi *boule*.

squelette (charpente) n. m.

Ensemble des arêtes d'un objet à trois dimensions.

EXEMPLE :

statistique n. f.

La **statistique** est une science qui analyse des données numériques afin de les ordonner, de les classer ou de les caractériser.

Voir aussi *tableau de données*.

suite n. f.

Une **suite** est un ensemble de nombres ou d'objets placés dans un certain ordre. Cet ordre dépend d'une loi qu'on appelle **règle de la suite**.

Voir aussi *progression*.

superficie n. f. → *aire*

supplémentaire adj.

Deux *angles* sont **supplémentaires** si la somme de leur mesure vaut 180° (un angle plat).

EXEMPLE :

$38° + 142° = 180°$

surface n. f.

Une **surface** est une figure à deux *dimensions*.

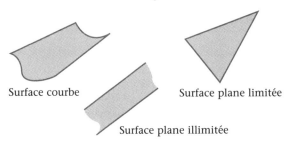

Surface courbe

Surface plane limitée

Surface plane illimitée

Surface extérieure
(surface frontière d'un solide)

Voir aussi *convexe, illimité, plan, polygone.*

symboles (et abréviations)

| 1. Nombres et opérations |

$a = b$	a est **égal** à b
$a \cong b$	a est **à peu près égal** à b
$a \neq b$	a **n'est pas égal** à b (a est **différent de** b)
$a > b$	a est **strictement supérieur** à b
$a \geq b$	a est **supérieur ou égal** à b
$a < b$	a est **strictement inférieur** à b
$a \leq b$	a est **inférieur ou égal** à b
$a + b$	la **somme** de a et de b (a **plus** b)
$a - b$	la **différence** de a et de b (a **moins** b)

$$2 \times a \times b$$
$$2 \cdot a \cdot b \quad\rbrack \quad \text{le produit de 2, de } a \text{ et de } b \text{ (2 fois } a \text{ fois } b\text{)}$$
$$2ab$$

$$a \div b$$
$$\dfrac{a}{b} \quad\rbrack \quad \text{le quotient de } a \text{ par } b \text{ (}a \text{ divisé par } b\text{)}$$

a^b	a exposant b, a **à la puissance** b
$\mathbb{N}$	**l'ensemble des nombres naturels**
$\mathbb{Z}$	**l'ensemble des nombres entiers**
$\mathbb{Q}$	**l'ensemble des nombres rationnels**
$\mathbb{Q}'$	**l'ensemble des nombres irrationnels**
$\mathbb{R}$	**l'ensemble des nombres réels**
PGCD	**le plus grand commun diviseur**
PPCM	**le plus petit commun multiple**
$^-5$	**le nombre négatif** 5
$\lvert a \rvert$	**la valeur absolue du nombre** a
$\sqrt{25}$	**la racine carrée de** 25
70 %	70 **pour cent**
70 ‰	70 **pour mille**
π	**le nombre pi** (= 3,141 59...)
k	désigne souvent **un nombre réel quelconque**
n	désigne souvent **un nombre naturel quelconque**

2. Géométrie

$\overline{\overline{AB}}$	**la droite** AB
$\overline{AB}$	**le segment** AB
$\overset{\frown}{AOB}$	
$\angle O \quad\rbrack$	**l'angle** AOB, **dont le sommet est le point** O
$\angle AOB$	
A // B	la droite A **est parallèle à** la droite B
A $\not\!/\!/$ B	la droite A **n'est pas parallèle à** la droite B
A $\perp$ B	la droite A **est perpendiculaire à** la droite B
$\triangle$ABC	**le triangle** ABC

3. Logique

p	**la proposition logique** symbolisée par la lettre minuscule p
$p(x)$	**la relation propositionnelle** p **qui dépend de la variable** x

$\forall x$ **pour tout** x, ou **tous les** x... (quantificateur universel)

$\exists x$ **il existe au moins un** x **qui**... (quantificateur existentiel)

$\neg p$ **non** p, ou **la négation de** la proposition p

---

4. Ensembles et relations

$\{a, b, c\}$ **l'ensemble des** éléments a, b et c

$a \in A$ l'élément a **appartient à** l'ensemble A

$a \notin A$ l'élément a **n'appartient pas à** l'ensemble A

$\#A$ **le cardinal de** l'ensemble A

$\varnothing$ ou $\{\ \}$ **l'ensemble vide**

$A \subset B$ l'ensemble A **est inclus dans** l'ensemble B

A' **l'ensemble complémentaire** du sous-ensemble A dans l'ensemble E

$P(E)$ **l'ensemble de toutes les parties** de l'ensemble E

$A \cap B$ A **inter** B, ou **l'intersection de l'ensemble** A **et de l'ensemble** B

$A \cup B$ A **union** B, ou **l'ensemble réunion de l'ensemble** A **et de l'ensemble** B

$A \backslash B$ A **moins** B, ou **l'ensemble différence** de l'ensemble A **et de l'ensemble** B

$P_1(E)$ **une partition de** l'ensemble E

(a, b) **le couple** a, b

$R(A \rightarrow B)$ **la relation** R **de l'ensemble** A **vers l'ensemble** B

R^{-1} R **moins un**, ou **la relation réciproque de la relation** R

$S \circ R$ S **rond** R, R **suivi** de S, ou la **relation composée** de la relation R **et** de la relation S

$f(x)$ **une fonction** f (qui dépend) **de** la variable x

....

symétrie n. f.

Une **symétrie** est une *transformation géométrique*. Il en existe trois types :

1. Symétrie axiale

Une **symétrie axiale** est une transformation géométrique dans laquelle chaque point est appliqué sur un autre point situé de l'autre côté d'un axe A (appelé **axe de symétrie**). Dans une symétrie axiale, l'axe de symétrie A n'est pas perpendiculaire à la direction d.

Symétrie axiale d'axe A et de direction d

2. Symétrie orthogonale

Une symétrie orthogonale est une **réflexion**. Elle se définit comme étant une symétrie axiale où l'axe de symétrie A et la direction *d* sont perpendiculaires l'un par rapport à l'autre. L'axe A est également appelé **axe de réflexion**.

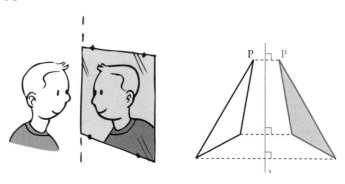

3. Symétrie centrale

Une symétrie centrale est une *rotation* de 180° par rapport à un point. Dans une symétrie centrale, on peut superposer une figure et son image en restant dans le plan.

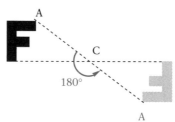

Une figure possède un **centre de symétrie** si, en tournant de 180° autour d'un point, elle se superpose exactement à la figure de départ. Les figures suivantes possèdent un centre de symétrie.

Voir aussi *isométrie* et *transformation géométrique*.

Deux figures forment une **réflexion** s'il est possible de construire une droite entre ces deux figures de telle sorte, que si l'on pliait l'illustration le long de cette droite, les deux figures se superposeraient parfaitement.

Cette droite située à égale distance des deux figures se nomme **axe de réflexion**.

EXEMPLE :

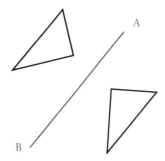

Les deux figures forment une symétrie orthogonale.

La droite AB est l'**axe de réflexion**.

Une **figure** est **symétrique** s'il est possible de tracer dans cette figure, un axe de symétrie qui permet d'appliquer la figure sur elle-même.

EXEMPLE :

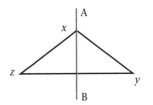

Le triangle *xyz* est une figure symétrique.

La droite AB est l'**axe de symétrie** de cette figure.

....

système de coordonnées n. m.

Un **système de coordonnées** est un ensemble de règles et de conventions permettant le repérage d'objets et de points dans un *plan* ou dans l'espace. Les systèmes de coordonnées les plus usuels en mathématiques sont les suivants :

1. Système de coordonnées cartésiennes → *coordonnées cartésiennes* et *plan cartésien*.

2. Système de coordonnées polaires → *coordonnées polaires*.

système de numération

Un **système de numération** est un ensemble de règles et de symboles qui permettent d'écrire tous les nombres.

EXEMPLE :

Système romain													
I	II	III	IV	V	VI	VII	VIII	IX	X	XI	XII	XIII	XIV
Système égyptien													
I	II	III	IIII	IIIII	IIIIII	IIIIIII	IIIIIIII	IIIIIIIII	∩	∩I	∩II	∩III	∩IIII
Système binaire													
1	10	11	100	101	110	111	1000	1001	1010	1011	1100	1101	1110
Système en base trois													
1	2	10	11	12	20	21	22	100	101	102	110	111	112
Notre système en base dix													
1	2	3	4	5	6	7	8	9	10	11	12	13	14

On peut écrire XII $= \cap II = 1100_{(deux)} = 110_{(trois)} = 12_{(dix)}$: c'est le même nombre, 12, écrit de 5 façons différentes.

Les trois derniers systèmes sont des systèmes de numération de position parce que la valeur d'un chiffre dépend de sa place dans le nombre. Par exemple, dans le nombre 145, le chiffre 1 représente une centaine tandis que dans 415, il représente la dizaine dans le système en base dix.

Une caractéristique des systèmes de numération de position est la présence du zéro, qui indique l'absence d'unités d'une position. Par exemple dans le nombre 3 065, le chiffre 0 indique qu'il n'y a pas d'unités à la position des centaines.

Voir aussi *base de numération* et *valeur de position*.

système d'équations*

Un **système d'équations** est un ensemble de deux ou plusieurs *équations* liant simultanément deux ou plusieurs *variables*. Résoudre un système d'équations c'est trouver la valeur de chacune des variables qui vérifient toutes les équations du système.

EXEMPLE :
$$3x + 2 = y$$
$$x + 6 = y$$
Système d'équations à deux variables

$$3x + 2 = x + 6$$
$$3x - x = 6 - 2$$
$$2x = 4$$
$$x = 2$$

Si $x = 2 \rightarrow$ $3 (2) + 2 = y$ Résolution du système d'équations
$$6 + 2 = y$$
$$y = 8$$

Le couple (2, 8) est la solution du système d'équations, parce qu'en remplaçant x et y par 2 et 8 dans les deux équations du système, on vérifie l'égalité.

table d'addition n. f.

Une **table d'addition** est une liste ordonnée d'additions de nombres compris entre 0 et 10. Pour utiliser une table d'addition, il suffit de faire coïncider les deux nombres à additionner avec les nombres correspondants situés dans la première rangée et dans la première colonne de la table d'addition. La somme des deux nombres additionnés se trouve à l'intersection de la rangée et de la colonne des nombres additionnés.

EXEMPLE :

+	0	1	2	3	4	5	6	7	8	9	10
0	0	1	2	3	4	5	6	7	8	9	10
1	1	2	3	4	5	6	7	8	9	10	11
2	2	3	4	5	6	7	8	9	10	11	12
3	3	4	5	6	7	8	9	10	11	12	13
4	4	5	6	7	8	9	10	11	12	13	14
5	5	6	7	8	9	10	11	12	13	14	15
6	6	7	8	9	10	11	12	13	14	15	16
7	7	8	9	10	11	12	13	14	15	16	17
8	8	9	10	11	12	13	14	15	16	17	18
9	9	10	11	12	13	14	15	16	17	18	19
10	10	11	12	13	14	15	16	17	18	19	20

Addition de 7 + 5 = 12

Voir aussi *addition*.

table de multiplication

Une **table de multiplication** est une liste ordonnée de multiplications de nombres compris entre 0 et 10. Pour utiliser une table de multiplication, il suffit de faire coïncider les deux nombres à multiplier avec les nombres correspondants situés dans la première rangée et dans la première colonne de la table de multiplication. Le produit des deux nombres multipliés se trouve à l'intersection de la rangée et de la colonne des nombres multipliés.

EXEMPLE :

×	0	1	2	3	4	5	6	7	8	9	10
0	0	0	0	0	0	0	0	0	0	0	0
1	0	1	2	3	4	5	6	7	8	9	10
2	0	2	4	6	8	10	12	14	16	18	20
3	0	3	6	9	12	15	18	21	24	27	30
4	0	4	8	12	16	20	24	28	32	36	40
5	0	5	10	15	20	25	30	35	40	45	50
6	0	6	12	18	24	30	36	42	48	54	60
7	0	7	14	21	28	35	42	49	56	63	70
8	0	8	16	24	32	40	48	56	64	72	80
9	0	9	18	27	36	45	54	63	72	81	90
10	0	10	20	30	40	50	60	70	80	90	100

Multiplication de 9 × 7 = 63

Voir aussi *multiplication*.

tableau de données n. m.

Un **tableau de données** est une liste de faits ou de résultats recueillis lors d'une expérience ou d'un sondage. À partir d'un tableau de données, on peut construire des *diagrammes à bandes*, des *diagrammes circulaires*, etc.

tableau de fréquence

Tableau qui démontre combien de fois une certaine donnée se présente.

EXEMPLE :

	Dénombrement	Fréquence
Autobus	ЖЖ ЖЖ II	12
À pied	ЖЖ ЖЖ ЖЖ III	18
À bicyclette	ЖЖ I	6

tangente n. f.

Une **tangente** est une droite ou un segment de droite qui touche une courbe en un seul point.

EXEMPLE :

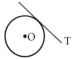

La droite T est tangente au cercle de centre O.

taux n. m.

Comparaison de deux valeurs de natures distinctes.

EXEMPLE :   90 km/1h

Voir aussi *intérêt*.

température n. f. → *degré*

temps n. m.

Les principales unités de mesure du **temps (de la durée)** sont :

- la seconde (s) ;
- la minute (min) : 1 min = 60 s ;
- l'heure (h) : 1 h = 60 min ;
- le jour (d) : 1 d = 24 h ;
- le mois ;
- l'année : 1 an = 12 mois ;
- le siècle : 1 siècle = 100 ans ;
- le millénaire : 1 millénaire = 1000 ans.

terme n. m.

1. Un **terme** est un nombre ou une lettre entrant dans une opération.

Voir aussi *opération*.

2. Chacun des éléments qui composent une *progression arithmétique* ou une *progression géométrique* se nomme **terme**.

tétraèdre n. m.

Polyèdre qui possède 4 faces triangulaires. → *polyèdre*
Le tétraèdre est une pyramide à base triangulaire.

théorème* n. m.

Un **théorème** est une propriété que l'on peut démontrer.

EXEMPLE:

«Le segment de droite qui joint les milieux de deux côtés d'un triangle est parallèle au troisième côté.»

On oppose le théorème à l'*axiome*, ou au *postulat*, qui sont des propriétés supposées admises au départ.

tonne n. f.

1 t = 1000 kg → *masse*

transformation géométrique n. f.

Une **transformation géométrique** est une application qui, selon des règles bien précises, fait correspondre chaque point du plan à un et un seul point (le même ou un autre) appelé image.

Voir aussi *homothétie, isométrie, projection, réflexion, rotation, symétrie, translation*, qui sont des transformations particulières du plan.

transformation identique → *isométrie*

translation n. f.

Une **translation** est une *transformation géométrique* dans laquelle chaque point se déplace de la même distance, dans la même direction et dans le même sens.

Une translation est illustrée par une flèche de translation, qui donne la direction, le sens et la grandeur du déplacement.

Voir aussi *isométrie*.

trapèze n. m.

Un **trapèze** est un *quadrilatère* qui a au moins deux côtés parallèles.

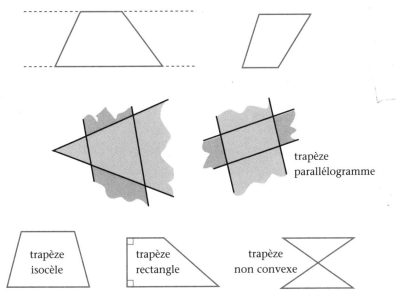

trapèze
parallélogramme

trapèze
isocèle

trapèze
rectangle

trapèze
non convexe

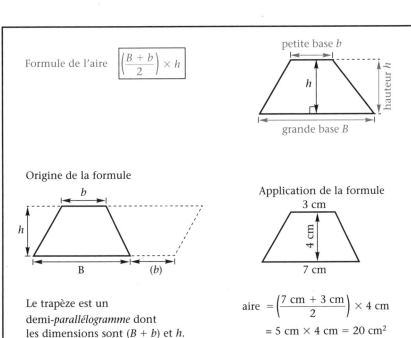

Formule de l'aire $\left(\dfrac{B + b}{2}\right) \times h$

petite base b

h

hauteur h

grande base B

Origine de la formule

b

h

B

(b)

Le trapèze est un
demi-*parallélogramme* dont
les dimensions sont $(B + b)$ et h.

Application de la formule

3 cm

4 cm

7 cm

aire $= \left(\dfrac{7\ cm + 3\ cm}{2}\right) \times 4\ cm$

$= 5\ cm \times 4\ cm = 20\ cm^2$

treillis n. m.

Un **treillis** est un *réseau* régulier de lignes qui s'entrecroisent. Les objets y sont représentés par les *nœuds* du réseau. Un treillis peut avoir 1, 2, 3,..., *n* dimensions. En mathématiques, les treillis les plus utilisés sont les *diagrammes à ligne brisée*.

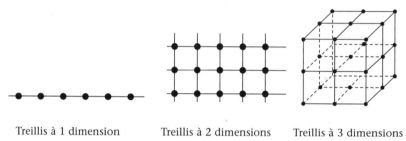

Treillis à 1 dimension   Treillis à 2 dimensions   Treillis à 3 dimensions

triangle n. m.

Un **triangle** est un polygone à 3 côtés.

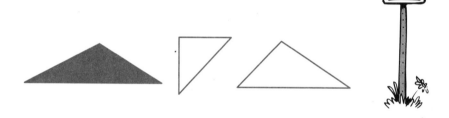

On peut classer les triangles de deux manières :

1. Selon les angles :
   * un *triangle acutangle* a ses trois angles aigus ;
   * un *triangle rectangle* a un angle droit ;
   * un *triangle obtusangle* a un angle obtus ;
   * un *triangle équiangle* a trois angles congrus.

2. Selon les côtés :
   * un *triangle scalène* a tous ses côtés de longueurs inégales ;
   * un *triangle isocèle* a au moins deux côtés de même longueur ;
   * un *triangle équilatéral* a ses 3 côtés de même longueur (un triangle équilatéral est donc un triangle isocèle).

Triangle	Acutangle	Rectangle	Obtusangle	Équiangle
Scalène				
Isocèle				
Équilatéral				

La somme des angles intérieurs d'un triangle est égale à 180° (voir angle).

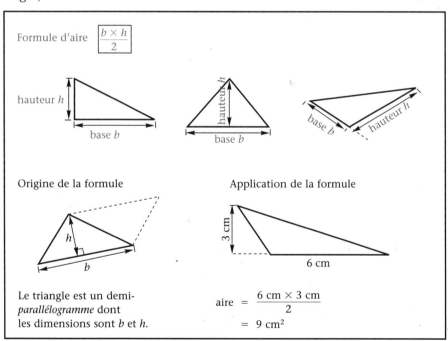

Voir aussi *angle* et *hypoténuse*.

union n. f. → *réunion*

unité n. f.

1. L'**unité**, c'est l'élément entier auquel on se réfère.

7 unités

unité

unité

$\frac{1}{3}$

unité

unité

Une **unité** de mesure est une grandeur de référence qui permet la mesure.

Unité naturelle de mesure (de longueur)

Unité conventionnelle de mesure (d'aire)

La tonne, le kilogramme et le gramme sont des unités (conventionnelles) de mesure de masse.

Certaines unités de mesure ont été choisies comme références internationales :
- l'unité de longueur : le mètre ;
- l'unité de masse : le kilogramme ;
- l'unité de temps : la seconde.

Ces unités constituent le système MKSA.

Voir aussi *longueur, aire, volume, capacité, masse, temps, SI.*

2. Une **unité** est la première position à gauche de la virgule de cadrage dans un nombre décimal. Elle représente aussi des parties semblables qui composent un nombre. Dans le nombre 735, le chiffre 5 occupe la position des unités. De plus, le nombre 735 est composé de 735 unités.

Voir aussi *virgule de cadrage*.

valeur absolue n. f.

La **valeur absolue** d'un nombre *a*, c'est sa valeur positive indépendamment de son signe. On l'écrit $|a|$.

EXEMPLES :

La valeur absolue de 5 est 5.

La valeur absolue de ⁻6 est 6.

valeur de position

La **valeur de position** est la valeur d'un chiffre dans un nombre selon la position qu'il occupe dans ce nombre. Par exemple, dans le nombre 853,7 : le chiffre 8 vaut 800, car il occupe la position des centaines ; le chiffre 5 vaut 50, car il occupe la position des dizaines ; le chiffre 3 vaut 3, parce qu'il occupe la position des unités ; le chiffre 7 vaut $\frac{7}{10}$, car il occupe la position des dixièmes.

variable n. f.

Des **variables** sont des symboles, en général des lettres, qui peuvent prendre différentes valeurs.

EXEMPLE :

Le nombre d'habitants *n* de la planète varie avec le temps *t* : on dit que la variable *n* varie en fonction de la variable *t*.

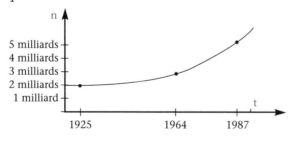

Dans l'équation $y = 5x + 3$, *y* et *x* sont des variables, alors que 5 et 3 sont des constantes.

Voir aussi *constante*.

vérifier v.

Vérifier la solution d'un problème consiste à s'assurer de la justesse et de l'exactitude de cette solution.

vide adj. → *ensemble vide*

L'ensemble **vide** est l'ensemble qui ne comprend aucun élément.

Voir aussi *cardinal* et *diagramme de Venn*.

vingt adj. numér. → *règles d'orthographe*

virgule de cadrage

Une **virgule de cadrage** est une virgule qui sert à séparer la partie entière de la partie fractionnaire d'un nombre décimal.

EXEMPLE :   4 , 725

virgule de cadrage

volume n. m.

Le **volume** d'un objet, c'est la place que cet objet occupe dans l'espace. Par exemple, une orange a un volume plus grand qu'une fourchette.

On peut :
1. Comparer le volume de deux objets différents. Par exemple, on les plonge chacun dans un récipient rempli d'eau à ras bord, et on compare les quantités d'eau que chaque objet fait déborder.

2. Mesurer le volume d'un objet, en essayant par exemple de reconstruire avec des cubes un objet de mêmes dimensions.

Volume de la brique = (6 × 3 × 2) cubes = 36 cubes.

3. Mesurer le volume d'un solide à l'aide d'unités conventionnelles:

• le centimètre cube (cm³);

• le décimètre cube (dm³),
soit le volume d'un cube
de 1 dm (10 cm) ou encore
d'une boîte de lait ou
de jus d'orange (1 litre);

1 dm

1 cm
1 cm
1 cm

1 dm

1 dm

• le mètre cube (m³) $1 \text{ m}^3 = 1\,000 \text{ dm}^3$.

Chaque unité de volume est 1 000
fois plus petite que la suivante:

1 cm³   10 ×   10 cm³   10 ×   100 cm³   10 ×   1000 cm³ = 1 dm³

1000 ×

Un récipient qui a une capacité de 1 l a un volume intérieur de 1 dm^3.
Un litre correspond toujours à 1 dm^3, mais attention: un volume
de 1 dm^3 de matière ne pèse 1 kg que si c'est de l'eau pure!

v

4. Calculer le volume de certains solides en utilisant les formules de volume.

EXEMPLE :

Volume du parallélépipède rectangle

$$= \boxed{(L \times l \times h)}$$

$$= 5 \text{ cm} \times 3 \text{ cm} \times 2 \text{ cm} = 30 \text{ cm}^3$$

Volume de quelques solides

1. Cube

   $V = (\text{arête})^3$

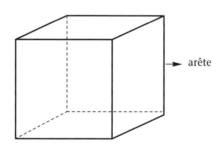

2. Prisme droit à base rectangulaire

   $V = \text{Longueur} \times \text{largeur} \times \text{hauteur}$

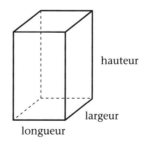

3. Cylindre et prisme

V = Aire de la base × hauteur

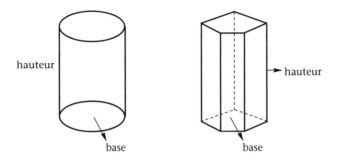

4. Cône et pyramide

$$V = \frac{1}{3} \times \text{aire de la base} \times \text{hauteur}$$

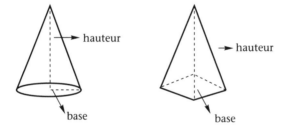

5. Sphère

$$V = \frac{4}{3} \times \pi \times (\text{rayon})^3$$

Attention ! Il faut que toutes les mesures d'un solide soient exprimées dans la même unité.

V

Z

Ensemble des nombres entiers. → *nombre entier*

zéro n. m.

Zéro est à la fois un chiffre et un nombre.

1. Le chiffre zéro indique l'absence d'unités à une position.

   EXEMPLE :

   Le nombre 7026 indique que s'il y a des unités de mille, des dizaines et des unités, il y a par contre absence de centaines.

   Le zéro est indispensable : 7026 est un nombre autre que 726.

2. Le nombre zéro est le nombre situé à la frontière des nombres positifs et négatifs.

Dans les opérations, le zéro a les propriétés suivantes :

- Addition : le zéro ne modifie pas le résultat (élément neutre).
  $18 + 0 = 18$

- Soustraction : $5 - 0 = 5$, mais $0 - 5 = {}^-5$.

- Multiplication par zéro : le résultat est toujours zéro (on dit que zéro est absorbant dans la multiplication).
  $135 \times 0 = 0$
  $0 \times 28 = 0$

- Une division par zéro n'est pas possible : on ne peut pas calculer le résultat de $8 \div 0$ (en tout cas, $8 \div 0 \neq 8$).

Par contre, $0 \div 8 = 0$.

De plus, zéro est multiple de tout nombre et n'est diviseur d'aucun nombre.

Index